W9-CDC-669

MOLIÈRE.
(JEAN-BAPTISTE POQUELIN.)

MOLIÈRE'S

LES FEMMES SAVANTES

EDITED, WITH AN INTRODUCTION AND NOTES

BY

ALCÉE FORTIER, D.Lt.

Late Professor of Romance Languages in Tulane University
of Louisiana

D. C. HEATH & CO., PUBLISHERS
BOSTON   NEW YORK   CHICAGO

PREFACE.

LES FEMMES SAVANTES is one of the most widely read of Molière's comedies, and it is believed that a new edition of this great work will be favorably received in America. The editor has given a brief but accurate life of the author, and called attention to some of his best plays. It is impossible to understand thoroughly one of Molière's comedies without knowing something about the life of the celebrated writer. It is only after we have seen what a wide field for observation Molière had in his wanderings all over France that we are enabled to understand how it is that his comedies present such deep philosophy, such wonderful knowledge of the human heart.

Les Femmes Savantes being the continuation of Molière's attacks in *les Précieuses Ridicules* on the pedantry and affectation of a certain class of French society in the seventeenth century, a short analysis of *les Précieuses Ridicules* is given in the Introduction.

In the Notes the student will find comparatively few translations. The aim of the editor has been principally to explain the difference between the language of the seventeenth century and the French of to-day, and also to give a correct appreciation of the comedy as a work of consummate art.

The text of this edition is that of Hachette's *Grands Écrivains*, slightly modified to agree with later editions.

A number of works have been consulted by the editor, but he has given due credit to the authors and editors from whom assistance has been derived.

The editor desires to thank Professor E. S. Joynes of South Carolina College, and Professor F. M. Warren of Adelbert College, for valuable suggestions.

ALCÉE FORTIER.

New Orleans, La., *Oct.* 24, 1896.

INTRODUCTION.

I.

MOLIÈRE.

OF all the great names in the history of literature, Molière is one of the greatest, and his works are popular in all civilized countries. As Sainte-Beuve expresses it so well: " Each man who learns how to read is one reader more for Molière." The interest taken in Molière is such that his works have been studied and analyzed most carefully, and the sources of his inspiration have been minutely investigated. His life has been also an object of great interest, and researches concerning him have been patient and fruitful. Many original documents have been discovered, and a number of legends swept aside; so that we may say that we have, at present, accurate data on which to base a correct and complete history of the wonderful poet of the seventeenth century. His biography has often been written, and with great details; but it seems to us that the three best works on that subject are Gustave Larroumet's *La Comédie de Molière, l'auteur et le milieu;* Paul Mesnard's exhaustive *Notice Biographique sur Molière* in vol. x. of *Œuvres de Molière* in Hachette's admirable edition; and *Dernières Recherches sur la Vie de Molière,* by F. Brunetière, in *Études critiques sur l'histoire de la littérature française,* vol. i., pages 95 to 157.

M. Larroumet's book comprises a series of articles published in *La Revue des Deux Mondes* in 1885 and 1886. He revives the men and women of the seventeenth century; he makes us see the *bourgeois* of Paris in his *rue St. Denis,* in his *Quartier du*

Marais; he shows us his comfortable home; he makes us understand his character; and he introduces us also to the actors and actresses whose lives were so intimately blended with that of Jean-Baptiste Poquelin, the son of *honorable homme, Jean Poquelin, tapissier, valet de chambre du roi.* M. Mesnard's biography is complete, although he calls it modestly, *Notice Biographique.* It is not as interesting as M. Larroumet's book, but it is invaluable for the mass of information which it contains. M. Brunetière's work is marked with sound judgment and critical accuracy. We shall, therefore, base on these three works principally our remarks on Molière.

The Poquelin family was to be found at Beauvais at the end of the fourteenth century; but Jean Poquelin settled in Paris, and at the end of the sixteenth century we see him established there as a merchant and upholsterer. He had ten children, of whom the eldest, Jean Poquelin, married Marie Cressé, daughter of an upholsterer, and was the father of Jean-Baptiste Poquelin, so illustrious by the name of Molière. The latter was baptized on Jan. 15, 1622, and was born either on that day or the day before. There is some doubt about the house in which he was born, but his father resided at the time of his son's birth in *rue St. Honoré.* One of the houses where Molière passed a part of his youth was adorned with a pillar representing an orange-tree on which monkeys were climbing. This was taken later as having been an omen of the career of the poet who knew so well how to imitate nature.

Molière's mother died when he was ten years old; and the inventory of her estate shows that she was a woman of refined tastes, and that her husband was wealthy. Jean Poquelin had, indeed, in 1631, become upholsterer to the king, and his *valet de chambre.* The latter office should not be regarded as menial according to our own ideas. It was considered an honorable office, and was lucrative; and Poquelin, the father, hastened to acquire the right to transmit it to his eldest son. He gave him the elements of an education in the parochial schools, and sent him, in 1636, to an excellent institution, the *Collège de Clermont* in Paris, later *Collège Louis le Grand*. Jean Poquelin married again in 1633, but his second wife died in 1636. Let us note here what has been said about Molière's contempt for step-mothers, as seen in his plays. There is no doubt that he never intended to personify his own stepmother, for he hardly knew her. It is interesting also to notice that there are no mothers in his comedies. It has been said that, not having been able to understand a mother's love, he did not attempt to portray it on the stage.

At the *Collège de Clermont*, there was as a student at the same time as Molière, the Prince of Conti, brother of the great Condé. They cannot be called schoolmates, however, as Conti was eleven years younger than Molière. The son of the uphol-sterer obtained a very good education at the college of the Jesuits, and later took lessons in philosophy from Gassendi, who was for a time tutor to Chapelle. Afterwards young Poquelin studied law, and his father thought that he was now well prepared for the important office of *valet de chambre* of the king. In 1642, Louis XIII. having gone to the South of France, Jean Poquelin sent his son to replace him in his office. The young man, how-ever, had his ambition directed otherwise, and his mind was turned toward the stage. Already, in his childhood, he is said to have gone often with his grandfather to the representations of the celebrated *Hôtel de Bourgogne*, and in his youth his passion for the stage became uncontrollable. On June 30, 1643, he formed a troupe called *l'Illustre Théâtre*, took the name of Mo-lière, and became an actor. From that time his father was no longer kind to him. He gave him little help, not even his full share in his mother's estate, and practically disowned him. Later, Molière was fully reconciled to his family, and in his father's old age came to his aid with great generosity and deli-cacy. Jean Poquelin lived long enough to see his son, the actor, become a great man and a favorite of the king.

Molière's principal associates in the foundation of *l'Illustre Théâtre* were Joseph, Geneviève, and Madeleine Béjart. The lat-ter was a woman of great ability, and no doubt contributed ma-

terially to the success later of Molière's troupe. The beginning
of the new troupe was very arduous. They rented *le Jeu de Paume
des Métayers* at *la Porte de Nesle;* but as their hall needed re-
pairs they went to Rouen, and played there for a short time. A
number of biographers have called attention to the interesting
fact of Molière beginning his career in the native town of the
great Corneille. The actors of *l'Illustre Théâtre* gave their first
representation in Paris on Dec. 31, 1643; but they met with no
pecuniary success in the capital. In fact, their venture proved
disastrous, and Molière was even kept a prisoner for debt for a
few days at *le Châtelet.* It was impossible to remain any longer
in Paris, and in 1646 *l'Illustre Théâtre* started on its peregrina-
tions in the provinces. For twelve years Molière was to be
thrown in contact with all kinds of people, with all their provin-
cial peculiarities; and he was to be enabled to make that won-
derfully accurate study of humanity of which we see so many
proofs in his works. We may have an idea of the life led by
Molière and his troupe in reading Scarron's *Roman Comique*
and Théophile Gautier's *Capitaine Fracasse;* and there is no
doubt that very often *l'Illustre Théâtre* had adventures such as
some which are described by Scarron and Gautier. Fortunately,
however, Molière and his companions found in the provinces
powerful protectors, who appreciated their merit. First it was,
from 1646 to 1649, the Duke of Épernon, Governor of Guyenne;
then, from 1653 to 1657, the Prince of Conti, Governor of Lan-
guedoc. The troupe did not remain exclusively in the south; it
went to Nantes, to Poitiers, to a number of other places, and to
Lyon. It was there, in 1655, that Molière played his witty and
amusing comedy, *l'Étourdi.* In this comedy, as well as in *le
Dépit Amoureux,* played at Béziers in 1656, one can already see
the genius of the author. It is true that he imitated the Italian
comedy; but we find already in his first works his originality, his
delicate grace, his knowledge of the human heart.

After twelve years passed in the provinces, Molière wished to
return to Paris. He went to Rouen in 1658, and finally arrived
in Paris in October of the same year. The players of *l'Illustre*

Théâtre had been successful in the provinces, and on their return to the capital were no longer the bankrupt comedians who twelve years before had left Paris to seek their fortune. They now had the great honor to obtain the patronage of Monsieur, brother of the king, and became his troupe, as they had been before the troupe of the Duke of Épernon and of the Prince of Conti. Monsieur presented Molière to the king; and the troupe played before His Majesty on Oct. 24, 1658, in a hall in the Louvre. The play chosen was *Nicomède* of Corneille; after which, Molière played a farce of his own composition, *le Docteur Amoureux*, now lost, and had the good fortune to please the king. The latter gave the troupe the use of the Petit Bourbon, which they were to share with the Italian troupe.

On Nov. 18, 1659, Molière gave *les Précieuses Ridicules*, and in this play rose far above *l'Étourdi* and *le Dépit Amoureux;* for he followed no other model but the persons whom he had seen in real life. The success of the comedy was immense; and when Molière played it before the king, he gained forever the favor of the monarch. Part of the hall of the Petit Bourbon having been demolished by the architect of the king, Louis XIV. gave to Molière's troupe a domicile in the Palais-Royal, and later allowed them to take the title of comedians of the king.

Molière returned to Paris in 1658, and died in 1673. It was, therefore, in fifteen years that he accomplished his wonderful work. He labored incessantly, and the fecundity and depth of his genius were only equalled by its diversity. He produced comedies of the deepest philosophy, and also amusing farces and graceful sketches. He was always ready to write when the king desired him to prepare a comedy for his *ballets* and splendid festivals; and by pleasing the king in that way, he obtained his favor and his protection for the more serious plays. Louis XIV. deserves great credit for his kindness to Molière; but we must not exaggerate the intimacy of the poet and the king. There is no doubt that, Molière being an actor, he was not considered as equal in rank in society to Boileau, Corneille, or Racine. His contemporaries admired his genius, but not as completely as we do to-day; and they saw in him more the great amuser than the great philosopher. He is both, however, in all his plays; for in his most burlesque farces there is a keen appreciation of human nature, and an admirable delineation of some traits of character.

As a man, Molière was essentially good and honorable; and although very nervous, and somewhat hasty in his temper, he was much liked by all who knew him intimately. He had many enemies; but these were either people who were jealous of his genius and success, or those who imagined that they saw themselves represented in his lifelike portraits. He was inclined to melancholy, and was still more so after he married, in 1662, Armande Béjart, Madeleine's niece, who was, it is said, only seventeen years old. Molière's wife rendered him unhappy, and did not appreciate his greatness and goodness. His success as an author and as an actor was great, and he became wealthy. He lived in luxury at his house, and was well received at court; but he lacked domestic happiness, and Armande Béjart was the cause of it.

We shall now mention his greatest plays in chronological order. In *l'École des Maris* (1661) and *l'École des Femmes* (1662) he gives his idea about the way women should be brought up, and he is in favor of their being treated with gentleness and full confidence. *L'École des Femmes* made him a host of enemies, and he made a personal reply to them in *la Critique de l'École des Femmes* and *l'Impromptu de Versailles*. In the latter play he put on the stage, with their real names, the actors of *l'Hôtel de Bourgogne*.

In 1664 three acts of *Tartuffe* were played; but the work was interdicted, and although played once in 1667, it was only in 1669 that the good sense of Louis XIV. gave its liberty to this admirable comedy. Molière has never shown more force than in this terrible scourging of the false bigot. In 1666 appeared *le Misanthrope*, where we see such a correct picture of society life of the seventeenth century, and of all times. We like and pity Alceste, the honest and intelligent man; we admire the art of

Célimène, the coquette; and we are astonished at the coldness
with which the play was received. The comic of *le Misanthrope*
is of such high order that it is not easily understood by the
masses. *L'Avare* (1667) is Molière's masterpiece in prose.
Although amusing in some parts, it presents, like many other
comedies of the author, scenes which are almost serious. Har-
pagon, however, is a type just as Tartuffe and Alceste, and the
immortal characters in *les Femmes Savantes* (1672), Trissotin,
Vadius, Chrysale, Henriette, Philaminte, Armande, Bélise, and
Martine.

Don Juan (1665), *le Médecin Malgré Lui* (1666), *Amphitryon*
(1668), *le Bourgeois Gentilhomme* (1670), *le Malade Imaginaire*
(1673), are also works of great merit; and we see the genius of
Molière even in his lesser comedies, some of which were com-
posed with great haste to amuse the king: *Sganarelle* (1660),
Don Garcie (1661), *les Fâcheux* (1661), *le Mariage Forcé*
(1664), *la Princesse d'Élide* (1664), *l'Amour Médecin* (1665),
Mélicerte (1666), *le Sicilien* (1667), *Georges Dandin* (1668),
Monsieur de Pourceaugnac (1669), *les Amants Magnifiques*
(1670), *les Fourberies de Scapin* (1671), *la Comtesse d'Escar-
bagnas* (1671).

Molière's health had always been poor; and his friends, especially Boileau, urged him to abandon the stage. He loved
his art, however, and took such an interest in the welfare of
his actors that he refused to leave them. On Feb. 17, 1673,
while playing the part of Argan in *le Malade Imaginaire*, he
was taken sick on the stage, and expired a few hours later. His
body was refused burial in consecrated ground by the ecclesias-
tical authorities; but Molière's wife having appealed to the king,
the latter ordered that he be buried as a Christian, but during
the night. Such should not have been the funeral of the greatest comic poet that the world has produced. Molière's glory
seems to have been increasing with each century; and posterity
will read, to the end of time, his works, so philosophical, so gay,
so poetic, and so graceful.

II.

LES PRÉCIEUSES RIDICULES.

No one can doubt the beneficial influence of the *Hôtel de Rambouillet* on French society in the first half of the seventeenth century. In the *cabinets* of the celebrated *marquise* met the most elegant ladies and gentlemen and the most eminent writers. Mlle. de Montpensier, daughter of Gaston, Duke of Orleans, the great Condé, and his sister, Mlle. de Bourbon, better known as the Duchess of Longueville, the Duke of Montausier, Mme. de Sablé, and many other people distinguished in society, were to be seen at Mme. de Rambouillet's, together with Voiture, Balzac, Chapelain, Conrart, Corneille, La Rochefoucauld, Racan, Malherbe, Vaugelas, Fléchier, Mlle. de Scudéry, Mme. de Sévigné, Mme. de La Fayette, and other celebrated wits and authors. The Hôtel was a school of good taste and polite manners, and contributed to refine both French society and French literature. However, the style of the *alcôves* and of the *ruelles* became somewhat affected; and the real *Précieuses*, like the *marquise* de Rambouillet and her charming daughters, were imitated by a number of ladies of the *bourgeoisie*, and the false *Précieuses* arose. There was a quintessence of elegance and refinement, both in speech and in manners, and affectation ran riot. Literature was being infected with the *précieux* style and words, and we see in the greatest authors, such as Corneille, and even in Molière, traces of the influence of the *Précieuses*. Mlle. de Scudéry, after the Hôtel de Rambouillet was closed, had her *Samedis*, in imitation of the evenings of the *marquise* and of her daughter Julie d'Angennes, whom the Duke of Montausier won, after twelve years of courtship, with the madrigals of the *Guirlande de Julie*. At the

Samedis the ladies and gentlemen were too prone to discuss the *Carte de Tendre* of *Clélie*, a knowledge of which was indispensable to all society people; and Mlle. de Scudéry wrote her *Cyrus* and her *Clélie*, in which are so many absurdities, and a few pages of sound advice about the education of women.

L'abbé d'Aubignac, l'abbé de Pure, Sorel, Somaize, have told us what was meant by *Précieuse;* but they seem generally to refer to the *Précieuses bourgeoises*, not to the *Précieuses* of *l'Hôtel de Rambouillet*. Nevertheless, the influence of the *Précieuses* was unfavorable to a healthy development of French literature; and Molière rendered a great service to his country when, at one blow, he killed the *Précieuses* by his *Précieuses Ridicules*, played on Nov. 18, 1659. He no doubt did not intend to satirize Mme. de Rambouillet and her society, but the affectation and bad taste of the false *Précieuses*, ridiculous imitators of the real ones. However, no distinction is made now between the *Précieuse de cour* and the *Précieuse de province*, and Molière has condemned to eternal ridicule all the *Précieuses* of the seventeenth century. Affectation and bad taste will live forever; but the peculiar kind which Molière has criticised so mercilessly disappeared, fortunately, from French literature and French society after the year 1659.

Les Précieuses Ridicules is so intimately connected with *les Femmes Savantes* that we must give briefly the plot of the former.

La Grange and Du Croisy, rejected suitors of Cathos and Madelon, form a plot to avenge themselves. Gorgibus, the father and uncle of the *Précieuses*, asks them the cause of their refusal; and they reply that they cannot marry men who know nothing about the *Carte de Tendre*. They beg the old man not to call them Cathos and Madelon, but Aminte and Polixène; and they are very desirous to receive the visit of a *bel esprit*. Their wish is gratified when the *marquis de Mascarille* is announced. He is La Grange's footman, dressed up most extravagantly, and chosen by the rejected suitors to accomplish their vengeance.

The two *Précieuses* give a lesson in the art of speaking to their servant, Marotte; for instance, she must not say: "Voilà un laquais qui demande si vous êtes au logis, et dit que son maître vous veut venir voir," but, "Voilà un nécessaire qui demande si vous êtes en commodité d'être visibles."

Madelon adds: "Vite, venez nous tendre ici dedans le conseiller des grâces," and Marotte replies: "Par ma foi! je ne sais point quelle bête c'est là; il faut parler chrétien, si vous voulez que je vous entende."

Scene ix. is most comic: The *marquis de Mascarille* enters; and the conversation between him and the *Précieuses* is in such style that Madelon exclaims: "C'est là savoir le fin des choses, le grand fin, le fin du fin!"

Mascarille recites an impromptu, and Aminte and Polixène are in an ecstasy of joy. Their delight is carried to an extreme when the *vicomte de Jodelet* appears. The *marquis* greets him most affectionately; and they praise one another highly, and speak as gentlemen of polite society. The two *Précieuses* admire their visitors, and prepare for a dance with them; but their dream of forming part of high society is rudely dispelled. La Grange and Du Croisy come in, beat the *marquis* and the *vicomte*, take off their fine clothes and wigs, and leave them with the hair and dress of *valets*. The *Précieuses* are in utter confusion; and Gorgibus ends the play in saying: "Et vous, qui êtes cause de leur folie, sottes billevesées, pernicieux amusements des esprits oisifs, romans, vers, chansons, sonnets et sonnettes, puissiez-vous être à tous les diables."

III.

LES FEMMES SAVANTES.

Les Femmes Savantes was played at the Palais-Royal on March 11, 1672. It had nineteen representations, and was well received. It is one of Molière's masterpieces, and may be compared with *le Misanthrope* and *le Tartuffe*. It is the last of the great writer's works in verse, and the last but one of his comedies; and he seems at the end of his career to have wished to produce a work of rare artistic merit. Not only is the play wonderful as a comedy, but the style is admirable. The verse is natural and extremely correct, and suits exactly each personage.

By *les Précieuses* Molière had succeeded in banishing from the *ruelles*, the *alcôves*, and the *réduits* the ridiculous affectations of the Amintes and the Polixènes. In *les Femmes Savantes* he attacked the pedantry of women, and showed the evil effects of the pedantic spirit in the family. Instead of attending to her household duties, Philaminte thinks only of letters and science, and chases from her house her servant Martine for not *speaking Vaugelas*. She is imperious as well as pedantic, and rules over her family with an iron hand. Chrysale, her husband, is a rich *bourgeois*, a man of good sense, but weak. In his wife's absence he speaks boldly, and says that his will must be the law; but as soon as she appears he dares not oppose her, and yields to her wishes. Philaminte's daughter, Armande, is not only pedantic like her mother, but she is selfish, jealous, and wicked. She has rejected Clitandre's suit, because marriage is not sufficiently ethereal; and when Clitandre courts Henriette, her sister, she endeavors to prevent their marriage by favoring Trissotin, another suitor of Henriette. The latter is the most graceful creation of Molière; she does not *know Greek*, but is a charming young girl, gentle, modest, and sensible. She seems to person-ify Molière's idea of the perfect woman, and is in every respect an admirable character. Her lover Clitandre is a man of honor and good judgment, and it is he who expresses the author's opin-ion about the education of women. He wishes that a woman should be enlightened : —

" Je consens qu'une femme ait des clartés de tout ; " but he certainly restricts her knowledge to a narrower sphere than we should consider advisable to-day. However, Molière cannot be accused of being opposed to the education of women. There were in his time a number of ladies who were erudite and not pedantic ; and he could appreciate the charm of Mme. de Sévigné and of Mme. de La Fayette, although they had been pupils of Ménage. Chrysale exaggerates when he says that it is sufficient that a woman should know how to recognize " un pourpoint d'avec un haut de chausses ; " but he is right when he says : " Je vis de bonne soupe et non de beau langage." Let the wife at-tend to literature, but let her not neglect her household duties. Mlle. de Scudéry in her *Cyrus* gives some excellent advice about the education of women, and Henriette might have known Greek and yet been charming. However, there were too many Philamintes in the seventeenth century, and Molière's master-piece showed the folly and danger of pedantry and false pretence of knowledge. Clitandre is a nobleman of small means, but he does not court Henriette through mercenary motives. He is not a *marquis ridicule ;* and in this character Molière pays homage to the true nobleman, to the honorable courtier.

Bélise, Philaminte's sister, is the most ridiculous of the three *femmes savantes*. She believes that all men are in love with her, and carries this idea to such an extreme that her folly is not credible. However, this exaggeration is allowed on the stage, and is very amusing.

Trissotin and Vadius, the two male pedants of the play, were taken from life, and represent l'abbé Cotin and Ménage. It is to be regretted that Molière should have put on the stage and ridiculed most mercilessly two men living at that time. There is not the least doubt that Trissotin is l'abbé Cotin. The absurd sonnet and madrigal recited by the pedant in the comedy were really taken from the abbé's works; and it is said that at first the name was *Tricotin*, and was changed later to *Trissotin* (*triple sot*). Molière had good cause to have a grudge against l'abbé Cotin, who had spoken shamelessly of him in his *Satire des Satires*. Also in *la Critique Désintéressée*, attributed to the abbé, Molière had been mentioned in no flattering terms; and Cotin had often attacked Boileau savagely. We know how the latter in his *Satires* avenged himself; but he criticised the writer, not the man. Molière was not satisfied with a scathing criticism of the writer, but in his immortal comedy he has given to Trissotin the character of a despicable man. It is true that the *rôle* attributed in the play to the pedant, that of suitor to Henriette, could not have agreed with l'abbé Cotin's calling, nevertheless it would have been more generous had Molière scorned the abbé's attacks, and had not noticed them. Cotin was crushed by Trissotin, and hardly dared to show himself in public after his terrible chastisement. However, he was not killed by Molière, as has been said, but died only in 1681. He was not completely silent all that time; for in 1678, says Bayle, he published a sonnet in the *Mercure galant*.

That Vadius is Ménage is somewhat doubtful, but most writers are of that opinion. Ménage, in spite of his pedantry, was a man of merit; and he had the good sense not to recognize himself in Molière's *savant*, and to praise highly *les Femmes Savantes*. Whether Trissotin and Vadius were Cotin and Ménage or not, we must admit that there are no more amusing and lifelike characters in any literary work.

Ariste, the reasonable man, is not the one that speaks the most sensibly; it is Clitandre whom we admire above all. Ariste, however, is necessary to the plot, as it is he who exposes Trissotin's mercenary motives, and makes Philaminte consent to Henriette's marriage to Clitandre, a conclusion which Chrysale orders.

The learned editor of Hachette's *Grands Écrivains de la*

France, Molière, vol. ix., gives the works from which the great comic writer may have borrowed some ideas. Calderon's *No hay burlas con el amor* (1637) has a slight resemblance in some scenes to *les Femmes Savantes*. Furetière's *Roman bourgeois* (1666) inspired Chrysale's saying, " Ce gros Plutarque à mettre mes rabats ;" and Chappuzeau's *l'Académie des Femmes* (1661) treats of the pedantry of women. The work, however, is conceived very differently from Molière's. In Desmarest's *Visionnaires* (1637) we see Hespérie, who without doubt gave the idea of Bélise. The works are few from which Molière may have derived ideas for his comedy; and the editor of Hachette's edition, M. Mesnard, says : " The imitations which are believed to have been discovered in *les Femmes Savantes*, were they less doubtful, would not burden Molière with a heavy debt. He has certainly, in this comedy, less borrowed than lent ; if there is a plagiarism to denounce, it is that of which one might complain in his name."

The actors who played *les Femmes Savantes* in 1672 are named as follows, says M. Mesnard, by the *Mercure* of July, 1723 : " *Chrysale*, Molière ; *Ariste*, Baron ; *Clitandre*, la Grange ; *Trissotin*, la Thorillière père ; *Vadius*, du Croisy ; *Philaminte*, le sieur Hubert ; *Bélise*, la Dlle. Villeaubrun ; *Armande*, la Dlle. de Brie ; *Henriette*, la Dlle. Molière ; *Martine*, une servante de M. de Molière qui portait ce nom." It is interesting to note in the cast, Molière himself, Molière's wife, Baron, the great actor, then nineteen years old, and the part of *Philaminte* played by a man. The only indication given by the *Mercure* which is probably incorrect is *Martine*, played by a servant of Molière of the same name.

LES FEMMES SAVANTES.

PERSONNAGES.

CHRYSALE, bon bourgeois.

PHILAMINTE, femme de Chrysale.

ARMANDE,
HENRIETTE, } filles de Chrysale et de Philaminte.

ARISTE, frère de Chrysale.

BÉLISE, sœur de Chrysale.

CLITANDRE, amant d'Henriette.

TRISSOTIN, bel esprit.

VADIUS, savant.

MARTINE, servante de cuisine.

L'ÉPINE, laquais.

JULIEN, valet de Vadius.

LE NOTAIRE.

La scène est à Paris dans la maison de Chrysale.

ACTE PREMIER.

SCÈNE PREMIÈRE.

ARMANDE, HENRIETTE.

ARMANDE.

Quoi ? le beau nom de fille est un titre, ma sœur,
Dont vous voulez quitter la charmante douceur,
Et de vous marier vous osez faire fête ?
Ce vulgaire dessein vous peut monter en tête ?

HENRIETTE.

Oui, ma sœur.

ARMANDE.

       Ah ! ce "oui" se peut-il supporter,   5
Et sans un mal de cœur saurait-on l'écouter ?

HENRIETTE.

Qu'a donc le mariage en soi qui vous oblige,
Ma sœur. . . . ?

ARMANDE.

       Ah ! mon Dieu, fi !

HENRIETTE.

              Comment ?

ARMANDE.

Ah ! fi ! vous dis-je.

Ne concevez-vous point ce que, dès qu'on l'entend,
Un tel mot à l'esprit offre de dégoûtant ?   10
De quelle étrange image on est par lui blessée ?
Sur quelle sale vue il traîne la pensée ?
N'en frissonnez-vous point ? et pouvez-vous, ma sœur,
Aux suites de ce mot résoudre votre cœur ?

HENRIETTE.

Les suites de ce mot, quand je les envisage,   15
Me font voir un mari, des enfants, un ménage ;
Et je ne vois rien là, si j'en puis raisonner,
Qui blesse la pensée, et fasse frissonner.

ARMANDE.

De tels attachements, ô Ciel ! sont pour vous plaire ?

HENRIETTE.

Et qu'est-ce qu'à mon âge on a de mieux à faire,   20
Que d'attacher à soi, par le titre d'époux,
Un homme qui vous aime, et soit aimé de vous,
Et de cette union, de tendresse suivie,
Se faire les douceurs d'une innocente vie ?
Ce nœud bien assorti n'a-t-il pas des appas ?   25

ARMANDE.

Mon Dieu, que votre esprit est d'un étage bas !
Que vous jouez au monde un petit personnage,
De vous claquemurer aux choses du ménage,
Et de n'entrevoir point de plaisirs plus touchants,
Qu'un idole d'époux, et des marmots d'enfants !   30
Laissez aux gens grossiers, aux personnes vulgaires,

Les bas amusements de ces sortes d'affaires ;
A de plus hauts objets élevez vos désirs,
Songez à prendre un goût des plus nobles plaisirs,
Et, traitant de mépris les sens et la matière,   35
A l'esprit, comme nous, donnez-vous toute entière.
Vous avez notre mère en exemple à vos yeux,
Que du nom de savante on honore en tous lieux :
Tâchez, ainsi que moi, de vous montrer sa fille,
Aspirez aux clartés qui sont dans la famille,   40
Et vous rendez sensible aux charmantes douceurs
Que l'amour de l'étude épanche dans les cœurs ;
Loin d'être aux lois d'un homme en esclave asservie,
Mariez-vous, ma sœur, à la philosophie,
Qui nous monte au-dessus de tout le genre humain,   45
Et donne à la raison l'empire souverain,
Soumettant a ses lois la partie animale,
Dont l'appétit grossier aux bêtes nous ravale.
Ce sont là les beaux feux, les doux attachements,
Qui doivent de la vie occuper les moments ;   50
Et les soins où je vois tant de femmes sensibles
Me paraissent aux yeux des pauvretés horribles.

HENRIETTE.

Le Ciel dont nous voyons que l'ordre est tout-puissant,
Pour différents emplois nous fabrique en naissant ;
Et tout esprit n'est pas composé d'une étoffe   55
Qui se trouve taillée à faire un philosophe.
Si le vôtre est né propre aux élévations
Où montent des savants les spéculations,
Le mien est fait, ma sœur, pour aller terre à terre,
Et dans les petits soins son faible se resserre.   60
Ne troublons point du Ciel les justes règlements,
Et de nos deux instincts suivons les mouvements :

Habitez, par l'essor d'un grand et beau génie,
Les hautes régions de la philosophie,
Tandis que mon esprit, se tenant ici-bas,   65
Goûtera de l'hymen les terrestres appas.
Ainsi, dans nos desseins l'une à l'autre contraire,
Nous saurons toutes deux imiter notre mère :
Vous, du côté de l'âme et des nobles désirs,
Moi, du côté des sens et des grossiers plaisirs ;   70
Vous, aux productions d'esprit et de lumière,
Moi, dans celles, ma sœur, qui sont de la matière.

                              ARMANDE.

Quand sur une personne on prétend se régler,
C'est par les beaux côtés qu'il lui faut ressembler ;
Et ce n'est point du tout la prendre pour modèle,   75
Ma sœur, que de tousser et de cracher comme elle.

                             HENRIETTE.

Mais vous ne seriez pas ce dont vous vous vantez,
Si ma mère n'eût eu que de ces beaux côtés ;
Et bien vous prend, ma sœur, que son noble génie
N'ait pas vaqué toujours à la philosophie.   80
De grâce, souffrez-moi, par un peu de bonté,
Des bassesses à qui vous devez la clarté ;
Et ne supprimez point, voulant qu'on vous seconde,
Quelque petit savant qui veut venir au monde.

                              ARMANDE.

Je vois que votre esprit ne peut être guéri   85
Du fol entêtement de vous faire un mari ;
Mais sachons, s'il vous plaît, qui vous songez à prendre :
Votre visée au moins n'est pas mise à Clitandre ?

HENRIETTE.

Et par quelle raison n'y serait-elle pas ?
Manque-t-il de mérite ?   Est-ce un choix qui soit bas ?   90

ARMANDE.

Non ; mais c'est un dessein qui serait malhonnête,
Que de vouloir d'une autre enlever la conquête ;
Et ce n'est pas un fait dans le monde ignoré
Que Clitandre ait pour moi hautement soupiré.

HENRIETTE.

Oui ; mais tous ces soupirs chez vous sont choses vaines, 95
Et vous ne tombez point aux bassesses humaines ;
Votre esprit à l'hymen renonce pour toujours,
Et la philosophie a toutes vos amours :
Ainsi, n'ayant au cœur nul dessein pour Clitandre,
Que vous importe-t-il qu'on y puisse prétendre ?   100

ARMANDE.

Cet empire que tient la raison sur les sens,
Ne fait pas renoncer aux douceurs des encens,
Et l'on peut pour époux refuser un mérite
Que pour adorateur on veut bien à sa suite.

HENRIETTE.

Je n'ai pas empêché qu'à vos perfections   105
Il n'ait continué ses adorations ;
Et je n'ai fait que prendre, au refus de votre âme,
Ce qu'est venu m'offrir l'hommage de sa flamme.

ARMANDE.

Mais à l'offre des vœux d'un amant dépité
Trouvez-vous, je vous prie, entière sûreté ?   110

Croyez-vous pour vos yeux sa passion bien forte,
Et qu'en son cœur pour moi toute flamme soit morte?

HENRIETTE.

Il me le dit, ma sœur, et, pour moi, je le croi.

ARMANDE.

Ne soyez pas, ma sœur, d'une si bonne foi,
Et croyez, quand il dit qu'il me quitte et vous aime,   115
Qu'il n'y songe pas bien et se trompe lui-même.

HENRIETTE.

Je ne sais ; mais enfin, si c'est votre plaisir,
Il nous est bien aisé de nous en éclaircir :
Je l'aperçois qui vient, et sur cette matière
Il pourra nous donner une pleine lumière.   120

SCÈNE II.

CLITANDRE, ARMANDE, HENRIETTE.

HENRIETTE.

Pour me tirer d'un doute où me jette ma sœur,
Entre elle et moi, Clitandre, expliquez votre cœur ;
Découvrez-en le fond, et nous daignez apprendre
Qui de nous à vos vœux est en droit de prétendre.

ARMANDE.

Non, non : je ne veux point à votre passion   125
Imposer la rigueur d'une explication ;
Je ménage les gens, et sais comme embarrasse
Le contraignant effort de ces aveux en face.

CLITANDRE.

Non, madame, mon cœur qui dissimule peu,
Ne sent nulle contrainte à faire un libre aveu ;   130
Dans aucun embarras un tel pas ne me jette,
Et j'avouerai tout haut, d'une âme franche et nette,
Que les tendres liens où je suis arrêté,
Mon amour et mes vœux sont tout de ce côté.
Qu'à nulle émotion cet aveu ne vous porte :   135
Vous avez bien voulu les choses de la sorte.
Vos attraits m'avaient pris, et mes tendres soupirs
Vous ont assez prouvé l'ardeur de mes désirs ;
Mon cœur vous consacrait une flamme immortelle ;
Mais vos yeux n'ont pas cru leur conquête assez belle. 140
J'ai souffert sous leur joug cent mépris différents,
Ils régnaient sur mon âme en superbes tyrans,
Et je me suis cherché, lassé de tant de peines,
Des vainqueurs plus humains, et de moins rudes chaînes :
Je les ai rencontrés, madame, dans ces yeux,   145
Et leurs traits à jamais me seront précieux ;
D'un regard pitoyable ils ont séché mes larmes,
Et n'ont pas dédaigné le rebut de vos charmes ;
De si rares bontés m'ont si bien su toucher,
Qu'il n'est rien qui me puisse à mes fers arracher ;   150
Et j'ose maintenant vous conjurer, Madame,
De ne vouloir tenter nul effort sur ma flamme,
De ne point essayer à rappeler un cœur
Résolu de mourir dans cette douce ardeur.

ARMANDE.

Eh ! qui vous dit, Monsieur, que l'on ait cette envie,   155
Et que de vous enfin si fort on se soucie ?
Je vous trouve plaisant de vous le figurer,
Et fort impertinent de me le déclarer.

HENRIETTE.

Eh ! doucement, ma sœur.   Où donc est la morale
Qui sait si bien régir la partie animale,   160
Et retenir la bride aux efforts du courroux ?

ARMANDE.

Mais vous qui m'en parlez, où la pratiquez-vous,
De répondre à l'amour que l'on vous fait paraître
Sans le congé de ceux qui vous ont donné l'être ?
Sachez que le devoir vous soumet à leurs lois,   165
Qu'il ne vous est permis d'aimer que par leur choix,
Qu'ils ont sur votre cœur l'autorité suprême,
Et qu'il est criminel d'en disposer vous-même.

HENRIETTE.

Je rends grâce aux bontés que vous me faites voir
De m'enseigner si bien les choses du devoir ;   170
Mon cœur sur vos leçons veut régler sa conduite ;
Et pour vous faire voir, ma sœur, que j'en profite,
Clitandre, prenez soin d'appuyer votre amour
De l'agrément de ceux dont j'ai reçu le jour ;
Faites-vous sur mes vœux un pouvoir légitime,   175
Et me donnez moyen de vous aimer sans crime.

CLITANDRE.

J'y vais de tous mes soins travailler hautement,
Et j'attendais de vous ce doux consentement.

ARMANDE.

Vous triomphez, ma sœur, et faites une mine
A vous imaginer que cela me chagrine.   180

HENRIETTE.

Moi, ma sœur, point du tout : je sais que sur vos sens
Les droits de la raison sont toujours tout-puissants ;
Et que par les leçons qu'on prend dans la sagesse,
Vous êtes au-dessus d'une telle faiblesse.
Loin de vous soupçonner d'aucun chagrin, je croi   185
Qu'ici vous daignerez vous employer pour moi,
Appuyer sa demande, et de votre suffrage
Presser l'heureux moment de notre mariage.
Je vous en sollicite ; et pour y travailler. . . .

ARMANDE.

Votre petit esprit se mêle de railler,   190
Et d'un cœur qu'on vous jette on vous voit toute fière.

HENRIETTE.

Tout jeté qu'est ce cœur, il ne vous déplaît guère ;
Et si vos yeux sur moi le pouvaient ramasser,
Ils prendraient aisément le soin de se baisser.

ARMANDE.

A répondre à cela je ne daigne descendre,   195
Et ce sont sots discours qu'il ne faut pas entendre.

HENRIETTE.

C'est fort bien fait à vous, et vous nous faites voir
Des modérations qu'on ne peut concevoir.

SCÈNE III.

CLITANDRE, HENRIETTE.

HENRIETTE.

Votre sincère aveu ne l'a pas peu surprise.

CLITANDRE.

Elle mérite assez une telle franchise,   200
Et toutes les hauteurs de sa folle fierté
Sont dignes tout au moins de ma sincérité.
Mais puisqu'il m'est permis, je vais à votre père,
Madame. . . .

HENRIETTE.

       Le plus sûr est de gagner ma mère :
Mon père est d'une humeur à consentir à tout,   205
Mais il met peu de poids aux choses qu'il résout.
Il a reçu du Ciel certaine bonté d'âme,
Qui le soumet d'abord à ce que veut sa femme ;
C'est elle qui gouverne, et d'un ton absolu
Elle dicte pour loi ce qu'elle a résolu.   210
Je voudrais bien vous voir pour elle, et pour ma tante,
Une âme, je l'avoue, un peu plus complaisante,
Un esprit qui, flattant les visions du leur,
Vous pût de leur estime attirer la chaleur.

CLITANDRE.

Mon cœur n'a jamais pu, tant il est né sincère,   215
Même dans votre sœur flatter leur caractère,
Et les femmes docteurs ne sont point de mon goût.
Je consens qu'une femme ait des clartés de tout ;
Mais je ne lui veux point la passion choquante

De se rendre savante afin d'être savante ; 220
Et j'aime que souvent, aux questions qu'on fait,
Elle sache ignorer les choses qu'elle sait ;
De son étude enfin je veux qu'elle se cache,
Et qu'elle ait du savoir sans vouloir qu'on le sache,
Sans citer les auteurs, sans dire de grands mots, 225
Et clouer de l'esprit à ses moindres propos.
Je respecte beaucoup madame votre mère ;
Mais je ne puis du tout approuver sa chimère,
Et me rendre l'écho des choses qu'elle dit,
Aux encens qu'elle donne à son héros d'esprit. 230
Son monsieur Trissotin me chagrine, m'assomme,
Et j'enrage de voir qu'elle estime un tel homme,
Qu'elle nous mette au rang des grands et beaux esprits
Un bénêt dont partout on siffle les écrits,
Un pédant dont on voit la plume libérale 235
D'officieux papiers fournir toute la halle.

HENRIETTE.

Ses écrits, ses discours, tout m'en semble ennuyeux,
Et je me trouve assez votre goût et vos yeux ;
Mais, comme sur ma mère il a grande puissance,
Vous devez vous forcer à quelque complaisance. 240
Un amant fait sa cour où s'attache son cœur,
Il veut de tout le monde y gagner la faveur ;
Et, pour n'avoir personne à sa flamme contraire,
Jusqu'au chien du logis il s'efforce de plaire.

CLITANDRE.

Oui, vous avez raison ; mais monsieur Trissotin 245
M'inspire au fond de l'âme un dominant chagrin.
Je ne puis consentir, pour gagner ses suffrages,
A me déshonorer en prisant ses ouvrages ;

C'est par eux qu'à mes yeux il a d'abord paru,
Et je le connaissais avant que l'avoir vu.   250
Je vis dans le fatras des écrits qu'il nous donne,
Ce qu'étale en tout lieu sa pédante personne :
La constante hauteur de sa présomption,
Cette intrépidité de bonne opinion,
Cet indolent état de confiance extrême   255
Qui le rend en tout temps si content de soi-même,
Qui fait qu'à son mérite incessamment il rit,
Qu'il se sait si bon gré de tout ce qu'il écrit,
Et qu'il ne voudrait pas changer sa renommée
Contre tous les honneurs d'un général d'armée.   260

HENRIETTE.

C'est avoir de bons yeux que de voir tout cela.

CLITANDRE.

Jusques à sa figure encor la chose alla,
Et je vis par les vers qu'à la tête il nous jette,
De quel air il fallait que fût fait le poète ;
Et j'en avais si bien deviné tous les traits,   265
Que rencontrant un homme un jour dans le Palais,
Je gageai que c'était Trissotin en personne,
Et je vis qu'en effet la gageure était bonne.

HENRIETTE.

Quel conte !

CLITANDRE.

              Non ; je dis la chose comme elle est.
Mais je vois votre tante.   Agréez, s'il vous plaît,   270
Que mon cœur lui déclare ici notre mystère,
Et gagne sa faveur auprès de votre mère.

SCÈNE IV.

CLITANDRE, BÉLISE.

CLITANDRE.

Souffrez, pour vous parler, Madame, qu'un amant
Prenne l'occasion de cet heureux moment,
Et se découvre à vous de la sincère flamme. . . .   275

BÉLISE.

Ah ! tout beau, gardez-vous de m'ouvrir trop votre âme :
Si je vous ai su mettre au rang de mes amants,
Contentez-vous des yeux pour vos seuls truchements,
Et ne m'expliquez point par un autre langage
Des désirs qui chez moi passent pour un outrage ;   280
Aimez-moi, soupirez, brûlez pour mes appas,
Mais qu'il me soit permis de ne le savoir pas :
Je puis fermer les yeux sur vos flammes secrètes,
Tant que vous vous tiendrez aux muets interprètes ;
Mais si la bouche vient à s'en vouloir mêler,   285
Pour jamais de ma vue il vous faut exiler.

CLITANDRE.

Des projets de mon cœur ne prenez point d'alarme :
Henriette, Madame, est l'objet qui me charme,
Et je viens ardemment conjurer vos bontés
De seconder l'amour que j'ai pour ses beautés.   290

BÉLISE.

Ah ! certes le détour est d'esprit, je l'avoue :
Ce subtil faux-fuyant mérite qu'on le loue,
Et, dans tous les romans où j'ai jeté les yeux,
Je n'ai rien rencontré de plus ingénieux.

CLITANDRE.

Ceci n'est point du tout un trait d'esprit, Madame,   295
Et c'est un pur aveu de ce que j'ai dans l'âme.
Les Cieux, par les liens d'une immuable ardeur,
Aux beautés d'Henriette ont attaché mon cœur ;
Henriette me tient sous son aimable empire,
Et l'hymen d'Henriette est le bien où j'aspire :   300
Vous y pouvez beaucoup, et tout ce que je veux,
C'est que vous y daigniez favoriser mes vœux.

BÉLISE.

Je vois où doucement veut aller la demande,
Et je sais sous ce nom ce qu'il faut que j'entende ;
La figure est adroite, et, pour n'en point sortir   305
Aux choses que mon cœur m'offre à vous repartir,
Je dirai qu'Henriette à l'hymen est rebelle,
Et que, sans rien prétendre il faut brûler pour elle.

CLITANDRE.

Eh ! Madame, à quoi bon un pareil embarras,
Et pourquoi voulez-vous penser ce qui n'est pas ?   310

BÉLISE.

Mon Dieu ! point de façons ; cessez de vous défendre
De ce que vos regards m'ont souvent fait entendre :
Il suffit que l'on est contente du détour
Dont s'est adroitement avisé votre amour,
Et que, sous la figure où le respect l'engage,   315
On veut bien se résoudre à souffrir son hommage,
Pourvu que ces transports, par l'honneur éclairés,
N'offrent à mes autels que des vœux épurés.

CLITANDRE.

Mais. . . .

BÉLISE.

Adieu : pour ce coup, ceci doit vous suffire,
Et je vous ai plus dit que je ne voulais dire.   320

CLITANDRE.

Mais votre erreur. . . .

BÉLISE.

Laissez, je rougis maintenant,
Et ma pudeur s'est fait un effort surprenant.

CLITANDRE.

Je veux être pendu, si je vous aime, et sage. . . .

BÉLISE.

Non, non, je ne veux rien entendre davantage.

CLITANDRE.

Diantre soit de la folle avec ses visions !   325
A-t-on rien vu d'égal à ces préventions ?
Allons commettre un autre aux soins que l'on me donne,
Et prenons le secours d'une sage personne.

ACTE II.

SCÈNE PREMIÈRE.

ARISTE.

Oui, je vous porterai la réponse au plus tôt ;
J'appuierai, presserai, ferai tout ce qu'il faut.   330
Qu'un amant, pour un mot, a de choses à dire !
Et qu'impatiemment il veut ce qu'il désire !
Jamais. . . .

SCÈNE II.

CHRYSALE, ARISTE.

ARISTE.

Ah ! Dieu vous gard', mon frère !

CHRYSALE.

Et vous aussi,

Mon frère.

ARISTE.
Savez-vous ce qui m'amène ici ?

CHRYSALE.
Non ; mais, si vous voulez, je suis prêt à l'apprendre.   335

ARISTE.
Depuis assez longtemps vous connaissez Clitandre ?

CHRYSALE.

Sans doute, et je le vois qui fréquente chez nous.

ARISTE.

En quelle estime est-il, mon frère, auprès de vous?

CHRYSALE.

D'homme d'honneur, d'esprit, de cœur et de conduite ;
Et je vois peu de gens qui soient de son mérite.   340

ARISTE.

Certain désir qu'il a conduit ici mes pas,
Et je me réjouis que vous en fassiez cas.

CHRYSALE.

Je connus feu son père en mon voyage à Rome.

ARISTE.

Fort bien.

CHRYSALE.

C'était, mon frère, un fort bon gentilhomme.

ARISTE.

On le dit.

CHRYSALE.

Nous n'avions alors que vingt-huit ans,   345
Et nous étions, ma foi ! tous deux, de verts galants.

ARISTE.

Je le crois.

CHRYSALE.

Nous donnions chez les dames romaines,
Et tout le monde là parlait de nos fredaines :
Nous faisions des jaloux.

ARISTE.

Voilà qui va des mieux.
Mais venons au sujet qui m'amène en ces lieux.   350

SCÈNE III.

BÉLISE, CHRYSALE, ARISTE.

ARISTE.

Clitandre auprès de vous me fait son interprète,
Et son cœur est épris des grâces d'Henriette.

CHRYSALE.

Quoi, de ma fille ?

ARISTE.

Oui, Clitandre en est charmé,
Et je ne vis jamais amant plus enflammé.

BÉLISE.

Non, non : je vous entends, vous ignorez l'histoire,   355
Et l'affaire n'est pas ce que vous pouvez croire.

ARISTE.

Comment, ma sœur ?

BÉLISE.

Clitandre abuse vos esprits,
Et c'est d'un autre objet que son cœur est épris.

ARISTE.

Vous raillez.   Ce n'est pas Henriette qu'il aime ?

BÉLISE.

Non ; j'en suis assurée.

ARISTE.

Il me l'a dit lui-même.   360

BÉLISE.

Eh, oui !

ARISTE.

Vous me voyez, ma sœur, chargé par lui
D'en faire la demande à son père aujourd'hui.

BÉLISE.

Fort bien.

ARISTE.

Et son amour même m'a fait instance
De presser les moments d'une telle alliance.

BÉLISE.

Encor mieux.   On ne peut tromper plus galamment.   365
Henriette, entre nous, est un amusement,
Un voile ingénieux, un prétexte, mon frère,
A couvrir d'autres feux, dont je sais le mystère ;
Et je veux bien tous deux vous mettre hors d'erreur.

ARISTE.

Mais, puisque vous savez tant de choses, ma sœur,   370
Dites-nous, s'il vous plaît, cet autre objet qu'il aime.

BÉLISE.

Vous le voulez savoir ?

ARISTE.

Oui.   Quoi ?

BÉLISE.

Moi.

ARISTE.

Vous ?

BÉLISE.

Moi-même.

ARISTE.

Hai, ma sœur !

BÉLISE.

Qu'est-ce donc que veut dire ce "hai,"
Et qu'a de surprenant le discours que je fai ?
On est faite d'un air, je pense, à pouvoir dire   375
Qu'on n'a pas pour un cœur soumis à son empire ;
Et Dorante, Damis, Cléonte, et Licidas
Peuvent bien faire voir qu'on a quelques appas.

ARISTE.

Ces gens vous aiment ?

BÉLISE.

Oui, de toute leur puissance.

ARISTE.

Ils vous l'ont dit ?

BÉLISE.

Aucun n'a pris cette licence :   380
Ils m'ont su révérer si fort jusqu'à ce jour,
Qu'ils ne m'ont jamais dit un mot de leur amour ;
Mais pour m'offrir leur cœur, et vouer leur service,
Les muets truchements ont tous fait leur office.

ARISTE.

On ne voit presque point céans venir Damis.   385

BÉLISE.

C'est pour me faire voir un respect plus soumis.

ARISTE.

De mots piquants partout Dorante vous outrage.

BÉLISE.

Ce sont emportements d'une jalouse rage.

ARISTE.

Cléonte et Licidas ont pris femme tous deux.

BÉLISE.

C'est par un désespoir où j'ai réduit leurs feux.   390

ARISTE.

Ma foi ! ma chère sœur, vision toute claire.

CHRYSALE.

De ces chimères-là vous devez vous défaire.

BÉLISE.

Ah, chimères !   Ce sont des chimères, dit-on
Chimères, moi !   Vraiment chimères est fort bon !
Je me réjouis fort de chimères, mes frères,   395
Et je ne savais pas que j'eusse des chimères.

SCÈNE IV.

CHRYSALE, ARISTE.

CHRYSALE.

Notre sœur est folle, oui.

ARISTE.

                    Cela croît tous les jours.
Mais, encore une fois, reprenons le discours.
Clitandre vous demande Henriette pour femme :
Voyez quelle réponse on doit faire à sa flamme.   400

CHRYSALE.

Faut-il le demander ?   J'y consens de bon cœur,
Et tiens son alliance à singulier honneur.

ARISTE.

Vous savez que de bien il n'a pas l'abondance,
Que. . . .

CHRYSALE.

C'est un intérêt qui n'est pas d'importance :
Il est riche en vertu, cela vaut des trésors,   405
Et puis son père et moi n'étions qu'un en deux corps.

ARISTE.

Parlons à votre femme, et voyons à la rendre
Favorable. . . .

CHRYSALE.

Il suffit : je l'accepte pour gendre.

ARISTE.

Oui ; mais pour appuyer votre consentement,
Mon frère, il n'est pas mal d'avoir son agrément ;   410
Allons. . . .

CHRYSALE.

Vous moquez-vous ?   Il n'est pas nécessaire.
Je réponds de ma femme, et prends sur moi l'affaire.

ARISTE.

Mais. . . .

CHRYSALE.

Laissez faire, dis-je, et n'appréhendez pas :
Je la vais disposer aux choses de ce pas.

ARISTE.

Soit.   Je vais là-dessus sonder votre Henriette,   415
Et reviendrai savoir.   . .

CHRYSALE.

                    C'est une affaire faite,
Et je vais à ma femme en parler sans délai.

SCÈNE V.

MARTINE, CHRYSALE.

MARTINE.

Me voilà bien chanceuse !   Hélas ! l'an dit bien vrai :
Qui veut noyer son chien l'accuse de la rage,
Et service d'autrui n'est pas un héritage.   420

CHRYSALE.

Qu'est-ce donc ?   Qu'avez-vous, Martine ?

MARTINE.

                              Ce que j'ai ?

CHRYSALE.

Oui.

MARTINE.

    J'ai que l'on me donne aujourd'hui mon congé,
Monsieur.

CHRYSALE.

    Votre congé !

MARTINE.

              Oui, Madame me chasse.

CHRYSALE.

Je n'entends pas cela.   Comment ?

MARTINE.

On me menace,
Si je ne sors d'ici, de me bailler cent coups.   425

CHRYSALE.

Non, vous demeurerez : je suis content de vous.
Ma femme bien souvent a la tête un peu chaude,
Et je ne veux pas, moi. . . .

SCENE VI.

PHILAMINTE, BÉLISE, CHRYSALE, MARTINE.

PHILAMINTE.

Quoi ? Je vous vois, maraude ?
Vite, sortez friponne ; allons, quittez ces lieux,
Et ne vous présentez jamais devant mes yeux.   430

CHRYSALE.

Tout doux.

PHILAMINTE.

Non, c'en est fait.

CHRYSALE.

Eh !

PHILAMINTE.

Je veux qu'elle sorte.

CHRYSALE.

Mais, qu'a-t-elle commis, pour vouloir de la sorte. . . .

PHILAMINTE.

Quoi? vous la soutenez?

CHRYSALE.

En aucune façon.

PHILAMINTE.

Prenez-vous son parti contre moi?

CHRYSALE.

Mon Dieu! non;
Je ne fais seulement que demander son crime.   435

PHILAMINTE.

Suis-je pour la chasser sans cause légitime?

CHRYSALE.

Je ne dis pas cela; mais il faut de nos gens. . . .

PHILAMINTE.

Non; elle sortira, vous dis-je, de céans.

CHRYSALE.

Hé bien! oui : vous dit-on quelque chose là contre?

PHILAMINTE.

Je ne veux point d'obstacle aux désirs que je montre.   440

CHRYSALE.

D'accord.

PHILAMINTE.

Et vous devez, en raisonnable époux,
Être pour moi contre elle, et prendre mon courroux.

CHRYSALE.

Aussi fais-je.   Oui, ma femme avec raison vous chasse,
Coquine, et votre crime est indigne de grâce.

MARTINE.

Qu'est-ce donc que j'ai fait ?

CHRYSALE.

Ma foi ! je ne sais pas.   445

PHILAMINTE.

Elle est d'humeur encore à n'en faire aucun cas.

CHRYSALE.

A-t-elle, pous donner matière à votre haine,
Cassé quelque miroir ou quelque porcelaine ?

PHILAMINTE.

Voudrais-je la chasser, et vous figurez-vous
Que pour si peu de chose on se mette en courroux ?   450

CHRYSALE.

Qu'est-ce à dire ?   L'affaire est donc considérable ?

PHILAMINTE.

Sans doute.   Me voit-on femme déraisonnable ?

CHRYSALE.

Est-ce qu'elle a laissé, d'un esprit négligent,
Dérober quelque aiguière ou quelque plat d'argent ?

PHILAMINTE.

Cela ne serait rien.

CHRYSALE.

Oh, oh! peste, la belle!   455

Quoi? l'avez-vous surprise à n'être pas fidèle?

PHILAMINTE.

C'est pis que tout cela.

CHRYSALE.

Pis que tout cela?

PHILAMINTE.

Pis.

CHRYSALE.

Comment diantre, friponne! Euh? a-t-elle commis. . . .

PHILAMINTE.

Elle a, d'une insolence à nulle autre pareille,

Après trente leçons, insulté mon oreille   460

Par l'impropriété d'un mot sauvage et bas,

Qu'en termes décisifs condamne Vaugelas.

CHRYSALE.

Est-ce là. . . .

PHILAMINTE.

Quoi? toujours, malgré nos remontrances,

Heurter le fondement de toutes les sciences,

La grammaire, qui sait régenter jusqu'aux rois,   465

Et les fait la main haute obéir à ses lois?

CHRYSALE.

Du plus grand des forfaits je la croyais coupable.

PHILAMINTE.

Quoi ? vous ne trouvez pas ce crime impardonnable ?

CHRYSALE.

Si fait.

PHILAMINTE.

Je voudrais bien que vous l'excusassiez.

CHRYSALE.

Je n'ai garde.

BÉLISE.

Il est vrai que ce sont des pitiés :   470
Toute construction est par elle détruite,
Et des lois du langage on l'a cent fois instruite.

MARTINE.

Tout ce que vous prêchez est, je crois, bel et bon ;
Mais je ne saurais, moi, parler votre jargon.

PHILAMINTE.

L'impudente !   Appeler un jargon le langage   475
Fondé sur la raison et sur le bel usage !

MARTINE.

Quand on se fait entendre, on parle toujours bien,
Et tous vos biaux dictons ne servent pas de rien.

PHILAMINTE.

Hé bien ! ne voilà pas encore de son style ?
Ne servent pas de rien !

BÉLISE.

O cervelle indocile !   480
Faut-il qu'avec les soins qu'on prend incessamment,
On ne te puisse apprendre à parler congrûment ?

De *pas* mis avec *rien* tu fais la récidive,
Et c'est, comme on t'a dit, trop d'une négative.

MARTINE.

Mon Dieu ! je n'avons point étugué comme vous,   485
Et je parlons tout droit comme on parle cheux nous.

PHILAMINTE.

Ah ! peut-on y tenir ?

BÉLISE.

Quel solécisme horrible !

PHILAMINTE.

En voilà pour tuer une oreille sensible.

BÉLISE.

Ton esprit, je l'avoue, est bien matériel.
Je n'est qu'un singulier, *avons* est pluriel.   490
Veux-tu toute ta vie offenser la grammaire ?

MARTINE.

Qui parle d'offenser grand'mère ni grand-père ?

PHILAMINTE.

O Ciel !

BÉLISE.

Grammaire est prise à contre sens par toi,
Et je t'ai dit déjà d'où vient ce mot.

MARTINE.

Ma foi !

Qu'il vienne de Chaillot, d'Hauteuil, ou de Pontoise,   495
Cela ne me fait rien.

BÉLISE.

Quelle âme villageoise !
La grammaire, du verbe et du nominatif,
Comme de l'adjectif avec le substantif,
Nous enseigne les lois.

MARTINE.

J'ai, Madame, à vous dire
Que je ne connais point ces gens-là.

PHILAMINTE.

Quel martyre !   500

BÉLISE.

Ce sont les noms des mots, et l'on doit regarder
En quoi c'est qu'il les faut faire ensemble accorder.

MARTINE.

Qu'ils s'accordent entr'eux, ou se gourment, qu'importe ?

PHILAMINTE, À sa sœur.

Eh, mon Dieu ! finissez un discours de la sorte.
   (A son mari.)
Vous ne voulez pas, vous, me la faire sortir ?   505

CHRYSALE.

Si fait.   A son caprice il me faut consentir.
Va, ne l'irrite point : retire-toi, Martine.

PHILAMINTE.

Comment ? vous avez peur d'offenser la coquine ?
Vous lui parlez d'un ton tout à fait obligeant ?

CHRYSALE.

Moi ? point. Allons, sortez. Va-t'en, ma pauvre enfant. 510

SCÈNE VII.

CHRYSALE, PHILAMINTE, BÉLISE.

CHRYSALE.

Vous êtes satisfaite, et la voilà partie ;
Mais je n'approuve point une telle sortie :
C'est une fille propre aux choses qu'elle fait,
Et vous me la chassez pour un maigre sujet.

PHILAMINTE.

Vous voulez que toujours je l'aie à mon service   515
Pour mettre incessamment mon oreille au supplice ?
Pour rompre toute loi d'usage et de raison,
Par un barbare amas de vices d'oraison,
De mots estropiés, cousus par intervalles,
De proverbes traînés dans les ruisseaux des Halles ?   520

BÉLISE.

Il est vrai que l'on sue à souffrir ses discours:
Elle y met Vaugelas en pièces tous les jours ;
Et les moindres défauts de ce grossier génie
Sont ou le pléonasme, ou la cacophonie.

CHRYSALE.

Qu'importe qu'elle manque aux lois de Vaugelas,   525
Pourvu qu'à la cuisine elle ne manque pas ?
J'aime bien mieux, pour moi, qu'en épluchant ses herbes,
Elle accommode mal les noms avec les verbes,
Et redise cent fois un bas ou méchant mot,
Que de brûler ma viande, ou saler trop mon pot.   530
Je vis de bonne soupe, et non de beau langage.
Vaugelas n'apprend point à bien faire un potage ;

Et Malherbe et Balzac, si savants en beaux mots,
En cuisine peut-être auraient été des sots.

PHILAMINTE.

Que ce discours grossier terriblement assomme !   535
Et quelle indignité pour ce qui s'appelle homme
D'être baissé sans cesse aux soins matériels,
Au lieu de se hausser vers les spirituels !
Le corps, cette guenille, est-il d'une importance,
D'un prix à mériter seulement qu'on y pense,   540
Et ne devons-nous pas laisser cela bien loin ?

CHRYSALE.

Oui, mon corps est moi-même, et j'en veux prendre soin :
Guenille si l'on veut, ma guenille m'est chère.

BÉLISE.

Le corps avec l'esprit fait figure, mon frère ;
Mais si vous en croyez tout le monde savant,   545
L'esprit doit sur le corps prendre le pas devant ;
Et notre plus grand soin, notre première instance,
Doit être à le nourrir du suc de la science.

CHRYSALE.

Ma foi ! si vous songez à nourrir votre esprit,
C'est de viande bien creuse, à ce que chacun dit,   550
Et vous n'avez nul soin, nulle sollicitude
Pour. . . .

PHILAMINTE.

          Ah ! *sollicitude* à mon oreille est rude :
Il put étrangement son ancienneté.

BÉLISE.

Il est vrai que le mot est bien collet monté.

CHRYSALE.

Voulez-vous que je dise ?   Il faut qu'enfin j'éclate,   555
Que je lève le masque, et décharge ma rate :
De folles on vous traite, et j'ai fort sur le cœur. . . .

PHILAMINTE.

Comment donc ?

CHRYSALE.

C'est à vous que je parle, ma sœur.
Le moindre solécisme en parlant vous irrite ;
Mais vous en faites, vous, d'étranges en conduite.   560
Vos livres éternels ne me contentent pas,
Et hors un gros Plutarque à mettre mes rabats,
Vous devriez brûler tout ce meuble inutile,
Et laisser la science aux docteurs de la ville ;
M'ôter, pour faire bien, du grenier de céans   565
Cette longue lunette à faire peur aux gens,
Et cent brimborions dont l'aspect importune ;
Ne point aller chercher ce qu'on fait dans la lune,
Et vous mêler un peu de ce qu'on fait chez vous,
Où nous voyons aller tout sens dessus dessous.   570
Il n'est pas bien honnête, et pour beaucoup de causes,
Qu'une femme étudie et sache tant de choses.
Former aux bonnes mœurs l'esprit de ses enfants,
Faire aller son ménage, avoir l'œil sur ses gens,
Et régler la dépense avec économie,   575
Doit être son étude et sa philosophie.
Nos pères sur ce point étaient gens bien sensés,
Qui disaient qu'une femme en sait toujours assez
Quand la capacité de son esprit se hausse
A connaître un pourpoint d'avec un haut de chausse.   580
Les leurs ne lisaient point, mais elles vivaient bien ;

Leurs ménages étaient tout leur docte entretien,
Et leurs livres, un dé, du fil et des aiguilles,
Dont elles travaillaient au trousseau de leurs filles.
Les femmes d'à présent sont bien loin de ces mœurs : 585
Elles veulent écrire, et devenir auteurs.
Nulle science n'est pour elles trop profonde,
Et céans beaucoup plus qu'en aucun lieu du monde :
Les secrets les plus hauts s'y laissent concevoir,
Et l'on sait tout chez moi, hors ce qu'il faut savoir ; 590
On y sait comme vont lune, étoile polaire,
Vénus, Saturne et Mars, dont je n'ai point affaire ;
Et, dans ce vain savoir, qu'on va chercher si loin,
On ne sait comment va mon pot, dont j'ai besoin.
Mes gens à la science aspirent pour vous plaire, 595
Et tous ne font rien moins que ce qu'ils ont à faire ;
Raisonner est l'emploi de toute ma maison,
Et le raisonnement en bannit la raison :
L'un me brûle mon rôt en lisant quelque histoire ;
L'autre rêve à des vers quand je demande à boire ; 600
Enfin je vois par eux votre exemple suivi,
Et j'ai des serviteurs, et ne suis point servi.
Une pauvre servante au moins m'était restée,
Qui de ce mauvais air n'était point infectée,
Et voilà qu'on la chasse avec un grand fracas, 605
A cause qu'elle manque à parler Vaugelas.
Je vous le dis, ma sœur, tout ce train-là me blesse
(Car c'est, comme j'ai dit, à vous que je m'adresse).
Je n'aime point céans tous vos gens à latin,
Et principalement ce monsieur Trissotin : 610
C'est lui qui dans des vers vous a tympanisées ;
Tous les propos qu'il tient sont des billevesées ;
On cherche ce qu'il dit après qu'il a parlé,
Et je lui crois, pour moi, le timbre un peu fêlé.

PHILAMINTE.

Quelle bassesse, ô Ciel, et d'âme, et de langage !   615

BÉLISE.

Est-il de petits corps un plus lourd assemblage !
Un esprit composé d'atomes plus bourgeois !
Et de ce même sang se peut-il que je sois !
Je me veux mal de mort d'être de votre race,
Et de confusion j'abandonne la place.   620

SCÈNE VIII.

PHILAMINTE, CHRYSALE.

PHILAMINTE.

Avez-vous à lâcher encore quelque trait ?

CHRYSALE.

Moi ? Non. Ne parlons plus de querelle : c'est fait.
Discourons d'autre affaire. A votre fille aînée
On voit quelque dégoût pour les nœuds d'hyménée :
C'est une philosophe enfin, je n'en dis rien,   625
Elle est bien gouvernée, et vous faites fort bien,
Mais de toute autre humeur se trouve sa cadette,
Et je crois qu'il est bon de pourvoir Henriette,
De choisir un mari. . . .

PHILAMINTE.

C'est à quoi j'ai songé,
Et je veux vous ouvrir l'intention que j'ai.   630
Ce monsieur Trissotin dont on nous fait un crime,
Et qui n'a pas l'honneur d'être dans votre estime,

Est celui que je prends pour l'époux qu'il lui faut,
Et je sais mieux que vous juger de ce qu'il vaut :
La contestation est ici superflue,   635
Et de tout point chez moi l'affaire est résolue.
Au moins ne dites mot du choix de cet époux :
Je veux à votre fille en parler avant vous ;
J'ai des raisons à faire approuver ma conduite,
Et je connaîtrai bien si vous l'aurez instruite.   640

SCÈNE IX.

ARISTE, CHRYSALE.

ARISTE.

Hé bien ? la femme sort, mon frère, et je vois bien
Que vous venez d'avoir ensemble un entretien.

CHRYSALE.

Oui.

ARISTE.

Quel est le succès ?   Aurons-nous Henriette ?
A-t-elle consenti ?   L'affaire est-elle faite ?

CHRYSALE.

Pas tout à fait, encor.

ARISTE.

Refuse-t-elle ?

CHRYSALE.

Non.   645

ARISTE.

Est-ce qu'elle balance ?

CHRYSALE.
En aucune façon.

ARISTE.
Quoi donc ?

CHRYSALE.
C'est que pour gendre elle m'offre un autre homme.

ARISTE.
Un autre homme pour gendre !

CHRYSALE.
Un autre.

ARISTE.
Qui se nomme ?

CHRYSALE.
Monsieur Trissotin.

ARISTE.
Quoi ? ce monsieur Trissotin. . . .

CHRYSALE.
Oui, qui parle toujours de vers et de latin.   650

ARISTE.
Vous l'avez accepté ?

CHRYSALE.
Moi, point, à Dieu ne plaise !

ARISTE.
Qu'avez-vous répondu ?

CHRYSALE.

                    Rien ; et je suis bien aise
De n'avoir point parlé, pour ne m'engager pas.

ARISTE.

La raison est fort belle, et c'est faire un grand pas.
Avez-vous su du moins lui proposer Clitandre ?   655

CHRYSALE.

Non ; car, comme j'ai vu qu'on parlait d'autre gendre,
J'ai cru qu'il était mieux de ne m'avancer point.

ARISTE.

Certes votre prudence est rare au dernier point !
N'avez-vous point de honte avec votre mollesse ?
Et se peut-il qu'un homme ait assez de faiblesse   660
Pour laisser à sa femme un pouvoir absolu,
Et n'oser attaquer ce qu'elle a résolu ?

CHRYSALE.

Mon Dieu ! vous en parlez, mon frère, bien à l'aise,
Et vous ne savez pas comme le bruit me pèse.
J'aime fort le repos, la paix, et la douceur,   665
Et ma femme est terrible avecque son humeur.
Du nom de philosophe elle fait grand mystère ;
Mais elle n'en est pas pour cela moins colère ;
Et sa morale, faite à mépriser le bien,
Sur l'aigreur de sa bile opère comme rien.   670
Pour peu que l'on s'oppose à ce que veut sa tête,
On en a pour huit jours d'effroyable tempête.
Elle me fait trembler dès qu'elle prend son ton ;
Je ne sais où me mettre, et c'est un vrai dragon ;
Et cependant, avec toute sa diablerie,   675
Il faut que je l'appelle et "mon cœur," et "ma mie."

ARISTE.

Allez, c'est se moquer.   Votre femme, entre nous,
Est par vos lâchetés souveraine sur vous.
Son pouvoir n'est fondé que sur votre faiblesse,
C'est de vous qu'elle prend le titre de maîtresse ;   680
Vous-même à ses hauteurs vous vous abandonnez,
Et vous faites mener en bête par le nez.
Quoi ? vous ne pouvez pas, voyant comme on vous nomme,
Vous résoudre une fois à vouloir être un homme ?
A faire condescendre une femme à vos vœux,   685
Et prendre assez de cœur pour dire un : " je le veux ? "
Vous laisserez sans honte immoler votre fille
Aux folles visions qui tiennent la famille,
Et de tout votre bien revêtir un nigaud,
Pour six mots de latin qu'il leur fait sonner haut,   690
Un pédant qu'à tout coup votre femme apostrophe
Du nom de bel esprit, et de grand philosophe,
D'homme qu'en vers galants jamais on n'égala,
Et qui n'est, comme on sait, rien moins que tout cela ?
Allez, encore un coup, c'est une moquerie,   695
Et votre lâcheté mérite qu'on en rie.

CHRYSALE.

Oui, vous avez raison, et je vois que j'ai tort.
Allons, il faut enfin montrer un cœur plus fort,
Mon frère.

ARISTE.

C'est bien dit.

CHRYSALE.

C'est une chose infâme
Que d'être si soumis au pouvoir d'une femme.   700

ARISTE.

Fort bien.

CHRYSALE.

De ma douceur elle a trop profité.

ARISTE.

Il est vrai.

CHRYSALE.

Trop joui de ma facilité.

ARISTE.

Sans doute.

CHRYSALE.

Et je lui veux faire aujourd'hui connaître
Que ma fille est ma fille, et que j'en suis le maître
Pour lui prendre un mari qui soit selon mes vœux.   705

ARISTE.

Vous voilà raisonnable, et comme je vous veux.

CHRYSALE.

Vous êtes pour Clitandre, et savez sa demeure :
Faites-le-moi venir, mon frère, tout à l'heure.

ARISTE.

J'y cours tout de ce pas.

CHRYSALE.

C'est souffrir trop longtemps,
Et je m'en vais être homme à la barbe des gens.   710

ACTE III.

SCÈNE PREMIÈRE.

Philaminte, Armande, Bélise, Trissotin, L'épine.

PHILAMINTE.

Ah ! mettons-nous ici, pour écouter à l'aise
Ces vers que mot à mot il est besoin qu'on pèse.

ARMANDE.

Je brûle de les voir.

BÉLISE.

Et l'on s'en meurt chez nous.

PHILAMINTE.

Ce sont charmes pour moi que ce qui part de vous.

ARMANDE.

Ce m'est une douceur à nulle autre pareille.   715

BÉLISE.

Ce sont repas friands qu'on donne à mon oreille.

PHILAMINTE.

Ne faites point languir de si pressants désirs.

ARMANDE.

Dépêchez.

BÉLISE.

Faites tôt, et hâtez nos plaisirs.

PHILAMINTE.

A notre impatience offrez votre épigramme.

TRISSOTIN.

Hélas ! c'est un enfant tout nouveau né, Madame.   720
Son sort assurément a lieu de vous toucher,
Et c'est dans votre cour que j'en viens d'accoucher.

PHILAMINTE.

Pour me le rendre cher, il suffit de son père.

TRISSOTIN.

Votre approbation lui peut servir de mère.

BÉLISE.

Qu'il a d'esprit !

SCÈNE II.

HENRIETTE, PHILAMINTE, BÉLISE, ARMANDE, TRISSOTIN,
L'ÉPINE.

PHILAMINTE.

Holà ! pourquoi donc fuyez-vous ?   725

HENRIETTE.

C'est de peur de troubler un entretien si doux.

PHILAMINTE.

Approchez, et venez, de toutes vos oreilles,
Prendre part au plaisir d'entendre des merveilles.

HENRIETTE.

Je sais peu les beautés de tout ce qu'on écrit,
Et ce n'est pas mon fait que les choses d'esprit.   730

PHILAMINTE.

Il n'importe : aussi bien ai-je à vous dire ensuite
Un secret dont il faut que vous soyez instruite.

TRISSOTIN.

Les sciences n'ont rien qui vous puisse enflammer,
Et vous ne vous piquez que de savoir charmer.

HENRIETTE.

Aussi peu l'un que l'autre, et je n'ai nulle envie. . . .   735

BÉLISE.

Ah ! songeons à l'enfant nouveau né, je vous prie.

PHILAMINTE.

Allons, petit garçon, vite de quoi s'asseoir.
   (Le laquais tombe avec la chaise.)
Voyez l'impertinent !   Est-ce que l'on doit choir,
Après avoir appris l'équilibre des choses ?

BÉLISE.

De ta chute, ignorant, ne vois-tu pas les causes,   740
Et qu'elle vient d'avoir du point fixe écarté
Ce que nous appelons centre de gravité ?

L'ÉPINE.

Je m'en suis aperçu, Madame, étant par terre.

PHILAMINTE.

Le lourdaud !

TRISSOTIN.

Bien lui prend de n'être pas de verre.

ARMANDE.

Ah ! de l'esprit partout !

BÉLISE.

Cela ne tarit pas.   745

PHILAMINTE.

Servez-nous promptement votre aimable repas.

TRISSOTIN.

Pour cette grande faim qu'à mes yeux on expose,
Un plat seul de huit vers me semble peu de chose,
Et je pense qu'ici je ne ferai pas mal
De joindre à l'épigramme, ou bien au madrigal,   750
Le ragoût d'un sonnet, qui, chez une princesse
A passé pour avoir quelque délicatesse.
Il est de sel attique assaisonné partout,
Et vous le trouverez, je crois, d'assez bon goût.

ARMANDE.

Ah ! je n'en doute point.

PHILAMINTE.

Donnons vite audience.   755

BÉLISE.

(A chaque fois qu'il veut lire, elle l'interrompt.)

Je sens d'aise mon cœur tressaillir par avance.
J'aime la poésie avec entêtement,
Et surtout quand les vers sont tournés galamment.

PHILAMINTE.

Si nous parlons toujours, il ne pourra rien dire.

TRISSOTIN.

SO...

BÉLISE.

Silence ! ma nièce.   760

TRISSOTIN.

SONNET A LA PRINCESSE URANIE SUR SA FIÈVRE.

Votre prudence est endormie,
De traiter magnifiquement,
Et de loger superbement
Votre plus cruelle ennemie.

BÉLISE.

Ah ! le joli début !

ARMANDE.

Qu'il a le tour galant !   765

PHILAMINTE.

Lui seul des vers aisés possède le talent !

ARMANDE.

A *prudence endormie* il faut rendre les armes.

BÉLISE.

Loger son ennemie est pour moi plein de charmes.

PHILAMINTE.

J'aime *superbement* et *magnifiquement* :
Ces deux adverbes joints font admirablement.   770

BÉLISE.

Prêtons l'oreille au reste.

TRISSOTIN.

Votre prudence est endormie,
De traiter magnifiquement,
Et de loger superbement
Votre plus cruelle ennemie.

ARMANDE.

Prudence endormie !

BÉLISE.

Loger son ennemie !

PHILAMINTE.

Superbement et *magnifiquement !*

TRISSOTIN.

Faites-la sortir, quoi qu'on die,
De votre riche appartement,
Où cette ingrate insolemment
Attaque votre belle vie.

775

BÉLISE.

Ah ! tout doux, laissez-moi, de grâce, respirer.

ARMANDE.

Donnez-nous, s'il vous plaît, le loisir d'admirer.

PHILAMINTE.

On se sent à ces vers, jusques au fond de l'âme,
Couler je ne sais quoi qui fait que l'on se pâme.

ARMANDE.

Faites-la sortir, quoi qu'on die,
De votre riche appartement.

Que *riche appartement* est là joliment dit ! 780
Et que la métaphore est mise avec esprit !

PHILAMINTE.

Faites-la sortir, quoi qu'on die.

Ah ! que ce *quoi qu'on die* est d'un goût admirable !
C'est, à mon sentiment, un endroit impayable.

ARMANDE.

De *quoi qu'on die* aussi mon cœur est amoureux.

BÉLISE.

Je suis de votre avis, *quoi qu'on die* est heureux. 785

ARMANDE.

Je voudrais l'avoir fait.

BÉLISE.

Il vaut toute une pièce.

PHILAMINTE.

Mais en comprend-on bien, comme moi, la finesse ?

ARMANDE et BÉLISE.

Oh, oh !

PHILAMINTE.

Faites-la sortir, quoi qu'on die :

Que de la fièvre on prenne ici les intérêts :
N'ayez aucun égard, moquez-vous des caquets,

Faites-la sortir, quoi qu'on die.
Quoi qu'on die, quoi qu'on die.

Ce *quoi qu'on die* en dit beaucoup plus qu'il ne semble. 790
Je ne sais pas, pour moi, si chacun me ressemble ;
Mais j'entends là-dessous un million de mots.

BÉLISE.

Il est vrai qu'il dit plus de choses qu'il n'est gros.

PHILAMINTE.

Mais quand vous avez fait ce charmant *quoi qu'on die*,
Avez-vous compris, vous, toute son énergie ?   795
Songiez-vous bien vous-même à tout ce qu'il nous dit,
Et pensiez-vous alors y mettre tant d'esprit ?

TRISSOTIN.

Hai, hai.

ARMANDE.

          J'ai fort aussi l'*ingrate* dans la tête :
Cette ingrate de fièvre, injuste, malhonnête,
Qui traite mal les gens qui la logent chez eux.   800

PHILAMINTE.

Enfin les quatrains sont admirables tous deux.
Venons-en promptement aux tiercets, je vous prie.

ARMANDE.

Ah ! s'il vous plaît, encore une fois *quoi qu'on die*.

TRISSOTIN.

Faites-la sortir, quoi qu'on die,

PHILAMINTE, ARMANDE et BÉLISE.

Quoi qu'on die !

TRISSOTIN.

De votre riche appartement,

PHILAMINTE, ARMANDE et BÉLISE.

Riche appartement !

TRISSOTIN.

Où cette ingrate insolemment

PHILAMINTE, ARMANDE et BÉLISE.

Cette *ingrate* de fièvre !

TRISSOTIN.

Attaque votre belle vie.

PHILAMINTE.

Votre belle vie !

ARMANDE et BÉLISE.

Ah !

TRISSOTIN.

Quoi ? sans respecter votre rang,
Elle se prend à votre sang,   805

PHILAMINTE, ARMANDE et BÉLISE.

Ah !

TRISSOTIN.

Et nuit et jour vous fait outrage !
Si vous la conduisez aux bains,
Sans la marchander davantage,
Noyez-la de vos propres mains.

PHILAMINTE.

On n'en peut plus.

BÉLISE.

On pâme.

ARMANDE.

On se meurt de plaisir. 810

PHILAMINTE.

De mille doux frissons vous vous sentez saisir.

ARMANDE.

Si vous la conduisez aux bains,

BÉLISE.

Sans la marchander davantage,

PHILAMINTE.

Noyez-la de vos propres mains :
De vos propres mains, là, noyez-la dans les bains.

ARMANDE.

Chaque pas dans vos vers rencontre un trait charmant.

BÉLISE.

Partout on s'y promène avec ravissement.

PHILAMINTE.

On n'y saurait marcher que sur de belles choses. 815

ARMANDE.

Ce sont petits chemins tout parsemés de roses.

TRISSOTIN.

Le sonnet donc vous semble . . .

PHILAMINTE.

Admirable, nouveau,
Et personne jamais n'a rien fait de si beau.

BÉLISE.

Quoi ? sans émotion pendant cette lecture ?
Vous faites là, ma nièce, une étrange figure !   820

HENRIETTE.

Chacun fait ici-bas la figure qu'il peut,
Ma tante ; et bel esprit, il ne l'est pas qui veut.

TRISSOTIN.

Peut-être que mes vers importunent Madame.

HENRIETTE.

Point : je n'écoute pas.

PHILAMINTE.

Ah ! voyons l'épigramme.

TRISSOTIN.

SUR UN CARROSSE DE COULEUR AMARANTE, DONNÉ A UNE
DAME DE SES AMIES.

PHILAMINTE.

Ces titres ont toujours quelque chose de rare.   825

ARMANDE.

A cent beaux traits d'esprit leur nouveauté prépare.

TRISSOTIN.

L'Amour si chèrement m'a vendu son lien,

PHILAMINTE, ARMANDE et BÉLISE.

Ah !

TRISSOTIN.

Qu'il m'en coûte déjà la moitié de mon bien ;
Et quand tu vois ce beau carrosse,
Où tant d'or se relève en bosse,
Qu'il étonne tout le pays,   830
Et fait pompeusement triompher ma Laïs,

PHILAMINTE.

Ah ! *ma Laïs !* Voilà de l'érudition.

BÉLISE.

L'enveloppe est jolie, et vaut un million.

TRISSOTIN.

Et quand tu vois ce beau carrosse,
Où tant d'or se relève en bosse,
Qu'il étonne tout le pays,
Et fait pompeusement triompher ma Laïs,
Ne dis plus qu'il est amarante :   835
Dis plutôt qu'il est de ma rente.

ARMANDE.

Oh, oh, oh ! celui-là ne s'attend point du tout.

PHILAMINTE.

On n'a que lui qui puisse écrire de ce goût.

BÉLISE.

Ne dis plus qu'il est amarante ;
Dis plutôt qu'il est de ma rente.
Voilà qui se décline : *ma rente, de ma rente, à ma rente.*

PHILAMINTE.

Je ne sais, du moment que je vous ai connu,
Si sur votre sujet j'ai l'esprit prévenu,   840
Mais j'admire partout vos vers et votre prose.

TRISSOTIN.

Si vous vouliez de vous nous montrer quelque chose,
A notre tour aussi nous pourrions admirer.

PHILAMINTE.

Je n'ai rien fait en vers, mais j'ai lieu d'espérer
Que je pourrai bientôt vous montrer, en amie,   845
Huit chapitres du plan de notre académie.
Platon s'est au projet simplement arrêté,
Quand de sa République il a fait le traité ;
Mais à l'effet entier je veux pousser l'idée
Que j'ai sur le papier en prose accommodée.   850
Car enfin je me sens un étrange dépit
Du tort que l'on nous fait du côté de l'esprit,
Et je veux nous venger, toutes tant que nous sommes,
De cette indigne classe où nous rangent les hommes,
De borner nos talents à des futilités,   855
Et nous fermer la porte aux sublimes clartés.

ARMANDE.

C'est faire à notre sexe une trop grande offense,
De n'étendre l'effort de notre intelligence
Qu'à juger d'une jupe et de l'air d'un manteau,
Ou des beautés d'un point, ou d'un brocart nouveau.   860

BÉLISE.

Il faut se relever de ce honteux partage,
Et mettre hautement notre esprit hors de page.

TRISSOTIN.

Pour les dames on sait mon respect en tous lieux ;
Et, si je rends hommage aux brillants de leurs yeux,
De leur esprit aussi j'honore les lumières.   865

PHILAMINTE.

Le sexe aussi vous rend justice en ces matières ;
Mais nous voulons montrer à de certains esprits,
Dont l'orgueilleux savoir nous traite avec mépris,
Que de science aussi les femmes sont meublées ;
Qu'on peut faire comme eux de doctes assemblées,   870
Conduites en cela par des ordres meilleurs,
Qu'on y veut réunir ce qu'on sépare ailleurs,
Mêler le beau langage et les hautes sciences,
Découvrir la nature en mille expériences,
Et sur les questions qu'on pourra proposer   875
Faire entrer chaque secte, et n'en point épouser.

TRISSOTIN.

Je m'attache pour l'ordre au péripatétisme.

PHILAMINTE.

Pour les abstractions, j'aime le platonisme.

ARMANDE.

Épicure me plaît, et ses dogmes sont forts.

BÉLISE.

Je m'accommode assez pour moi des petits corps ;   880
Mais le vide à souffrir me semble difficile,
Et je goûte bien mieux la matière subtile.

TRISSOTIN.

Descartes pour l'aimant donne fort dans mon sens.

ARMANDE.

J'aime ses tourbillons.

PHILAMINTE.

Moi, ses mondes tombants.

ARMANDE.

Il me tarde de voir notre assemblée ouverte,   885
Et de nous signaler par quelque découverte.

TRISSOTIN.

On en attend beaucoup de vos vives clartés,
Et pour vous la nature a peu d'obscurités.

PHILAMINTE.

Pour moi, sans me flatter, j'en ai déjà fait une,
Et j'ai vu clairement des hommes dans la lune.   890

BÉLISE.

Je n'ai point encor vu d'hommes, comme je crois ;
Mais j'ai vu des clochers tout comme je vous voi.

ARMANDE.

Nous approfondirons, ainsi que la physique,
Grammaire, histoire, vers, morale et politique.

PHILAMINTE.

La morale a des traits dont mon cœur est épris,   895
Et c'était autrefois l'amour des grands esprits ;
Mais aux Stoïciens je donne l'avantage,
Et je ne trouve rien de si beau que leur sage.

ARMANDE.

Pour la langue, on verra dans peu nos règlements,
Et nous y prétendons faire des remuements.   900
Par une antipathie ou juste, ou naturelle,
Nous avons pris chacune une haine mortelle

Pour un nombre de mots, soit ou verbes ou noms,
Que mutuellement nous nous abandonnons ;
Contre eux nous préparons de mortelles sentences,   905
Et nous devons ouvrir nos doctes conférences
Par les proscriptions de tous ces mots divers
Dont nous voulons purger et la prose et les vers.

PHILAMINTE.

Mais le plus beau projet de notre académie,
Une entreprise noble, et dont je suis ravie,   910
Un dessein plein de gloire, et qui sera vanté
Chez tous les beaux esprits de la postérité,
C'est le retranchement de ces syllabes sales,
Qui dans les plus beaux mots produisent des scandales,
Ces jouets éternels des sots de tous les temps,   915
Ces fades lieux communs de nos méchants plaisants,
Ces sources d'un amas d'équivoques infâmes,
Dont on vient faire insulte à la pudeur des femmes.

TRISSOTIN.

Voilà certainement d'admirables projets !

BÉLISE.

Vous verrez nos statuts, quand ils seront tous faits.   920

TRISSOTIN.

Ils ne sauraient manquer d'être tous beaux et sages.

ARMANDE.

Nous serons par nos lois les juges des ouvrages ;
Par nos lois, prose et vers, tout nous sera soumis ;
Nul n'aura de l'esprit hors nous et nos amis ;
Nous chercherons partout à trouver à redire,   925
Et ne verrons que nous qui sache bien écrire.

SCÈNE III.

Trissotin, Philaminte, Bélise, Armande, Henriette,
L'Épine, Vadius.

L'ÉPINE.

Monsieur, un homme est là qui veut parler à vous ;
Il est vêtu de noir, et parle d'un ton doux.

TRISSOTIN.

C'est cet ami savant, qui m'a fait tant d'instance
De lui donner l'honneur de votre connaissance. 930

PHILAMINTE.

Pour le faire venir, vous avez tout crédit.
Faisons bien les honneurs au moins de notre esprit.
    (A Henriette qui veut sortir.)
Holà ! je vous ai dit en paroles bien claires,
Que j'ai besoin de vous.

HENRIETTE.

                        Mais pour quelles affaires ?

PHILAMINTE.

Venez, on va dans peu vous les faire savoir. 935

TRISSOTIN.

Voici l'homme qui meurt du désir de vous voir.
En vous le produisant, je ne crains point le blâme
D'avoir admis chez vous un profane, Madame :
Il peut tenir son coin parmi de beaux esprits.

PHILAMINTE.

La main qui le présente en dit assez le priz.　　　　　940

TRISSOTIN.

Il a des vieux auteurs la pleine intelligence,
Et sait du grec, Madame, autant qu'homme de France.

PHILAMINTE.

Du grec, ô Ciel ! du grec !　Il sait du grec, ma sœur !

BÉLISE.

Ah, ma nièce, du grec !

ARMANDE.

　　　　　　　Du grec ! quelle douceur !

PHILAMINTE.

Quoi ?　Monsieur sait du grec ?　Ah ! permettez, de
　　grâce,　　　　　　　　　　　　　　　　　　945
Que pour l'amour du grec, Monsieur, on vous embrasse.
　　　(Il les baise toutes, jusques à Henriette, qui le refuse.)

HENRIETTE.

Excusez-moi, Monsieur, je n'entends pas le grec.

PHILAMINTE.

J'ai pour les livres grecs un merveilleux respect.

VADIUS.

Je crains d'être fâcheux, par l'ardeur qui m'engage
A vous rendre aujourd'hui, Madame, mon hommage:　950
Et j'aurai pu troubler quelque docte entretien.

PHILAMINTE.

Monsieur, avec du grec on ne peut gâter rien.

TRISSOTIN.

Au reste, il fait merveille en vers ainsi qu'en prose,
Et pourrait, s'il voulait, vous montrer quelque chose.

VADIUS.

Le défaut des auteurs, dans leurs productions, 955
C'est d'en tyranniser les conversations,
D'être au Palais, au Cours, aux ruelles, aux tables,
De leurs vers fatigants lecteurs infatigables.
Pour moi, je ne vois rien de plus sot à mon sens
Qu'un auteur qui partout va gueuser des encens, 960
Qui des premiers venus saisissant les oreilles,
En fait le plus souvent les martyrs de ses veilles.
On ne m'a jamais vu ce fol entêtement ;
Et d'un Grec là-dessus je suis le sentiment,
Qui, par un dogme exprès, défend à tous les sages 965
L'indigne empressement de lire leurs ouvrages.
Voici de petits vers pour de jeunes amants,
Sur quoi je voudrais bien avoir vos sentiments.

TRISSOTIN.

Vos vers ont des beautés que n'ont point tous les autres.

VADIUS.

Les Grâces et Vénus règnent dans tous les vôtres. 970

TRISSOTIN.

Vous avez le tour libre, et le beau choix des mots.

VADIUS.

On voit partout chez vous l'*ithos* et le *pathos*.

TRISSOTIN.

Nous avons vu de vous des églogues d'un style
Qui passe en doux attraits Théocrite et Virgile.

VADIUS.

Vos odes ont un air noble, galant et doux,   975
Qui laisse de bien loin votre Horace après vous.

TRISSOTIN.

Est-il rien d'amoureux comme vos chansonnettes?

VADIUS.

Peut-on rien voir d'égal aux sonnets que vous faites?

TRISSOTIN.

Rien qui soit plus charmant que vos petits rondeaux?

VADIUS.

Rien de si plein d'esprit que tous vos madrigaux?   980

TRISSOTIN.

Aux ballades surtout vous êtes admirable.

VADIUS.

Et dans les bouts-rimés je vous trouve adorable.

TRISSOTIN.

Si la France pouvait connaître votre prix,

VADIUS.

Si le siècle rendait justice aux beaux esprits,

TRISSOTIN.

En carrosse doré vous iriez par les rues.   985

VADIUS.

On verrait le public vous dresser des statues.
Hom! C'est une ballade, et je veux que tout net
Vous m'en. . . .

TRISSOTIN.

Avez-vous vu certain petit sonnet
Sur la fièvre qui tient la princesse Uranie ?

VADIUS.

Oui, hier il me fut lu dans une compagnie. 990

TRISSOTIN.

Vous en savez l'auteur ?

VADIUS.

Non ; mais je sais fort bien
Qu'à ne le point flatter son sonnet ne vaut rien.

TRISSOTIN.

Beaucoup de gens pourtant le trouvent admirable.

VADIUS.

Cela n'empêche pas qu'il ne soit misérable ;
Et, si vous l'avez vu, vous serez de mon goût. 995

TRISSOTIN.

Je sais que là-dessus je n'en suis point du tout,
Et que d'un tel sonnet peu de gens sont capables.

VADIUS.

Me préserve le Ciel d'en faire de semblables !

TRISSOTIN.

Je soutiens qu'on ne peut en faire de meilleur ;
Et ma grande raison, c'est que j'en suis l'auteur. 1000

VADIUS.

Vous !

TRISSOTIN.

Moi.

VADIUS.

Je ne sais donc comment se fit l'affaire.

TRISSOTIN.

C'est qu'on fut malheureux de ne pouvoir vous plaire.

VADIUS.

Il faut qu'en écoutant j'aie eu l'esprit distrait,
Ou bien que le lecteur m'ait gâté le sonnet.
Mais laissons ce discours et voyons ma ballade.   1005

TRISSOTIN.

La ballade, à mon goût, est une chose fade.
Ce n'en est plus la mode ; elle sent son vieux temps.

VADIUS.

La ballade pourtant charme beaucoup de gens.

TRISSOTIN.

Cela n'empêche pas qu'elle ne me déplaise.

VADIUS.

Elle n'en reste pas pour cela plus mauvaise.   1010

TRISSOTIN.

Elle a pour les pédants de merveilleux appas.

VADIUS.

Cependant nous voyons qu'elle ne vous plaît pas.

TRISSOTIN.

Vous donnez sottement vos qualités aux autres.

VADIUS.

Fort impertinemment vous me jetez les vôtres.

TRISSOTIN.

Allez, petit grimaud, barbouilleur de papier.   1015

VADIUS.

Allez, rimeur de balle, opprobre du métier.

TRISSOTIN.

Allez, fripier d'écrits, impudent plagiaire.

VADIUS.

Allez, cuistre. . . . .

PHILAMINTE.

Eh! Messieurs, que prétendez-vous faire?

TRISSOTIN.

Va, va restituer tous les honteux larcins
Que réclament sur toi les Grecs et les Latins.   1020

VADIUS.

Va, va-t'en faire amende honorable au Parnasse
D'avoir fait à tes vers estropier Horace.

TRISSOTIN.

Souviens-toi de ton livre et de son peu de bruit.

VADIUS.

Et toi, de ton libraire à l'hôpital réduit.

TRISSOTIN.

Ma gloire est établie; en vain tu la déchires.   1025

VADIUS.

Oui, oui, je te renvoie à l'auteur des *Satires*.

TRISSOTIN.

Je t'y renvoie aussi.

VADIUS.

J'ai le contentement
Qu'on voit qu'il m'a traité plus honorablement :
Il me donne, en passant, une atteinte légère,
Parmi plusieurs auteurs qu'au Palais on révère ;   1030
Mais jamais, dans ses vers, il ne te laisse en paix,
Et l'on t'y voit partout être en butte à ses traits.

TRISSOTIN.

C'est par là que j'y tiens un rang plus honorable.
Il te met dans la foule, ainsi qu'un misérable,
Il croit que c'est assez d'un coup pour t'accabler,   1035
Et ne t'a jamais fait l'honneur de redoubler ;
Mais il m'attaque à part, comme un noble adversaire
Sur qui tout son effort lui semble nécessaire ;
Et ses coups contre moi redoublés en tous lieux
Montrent qu'il ne se croit jamais victorieux.   1040

VADIUS.

Ma plume t'apprendra quel homme je puis être.

TRISSOTIN.

Et la mienne saura te faire voir ton maître.

VADIUS.

Je te défie en vers, prose, grec et latin.

TRISTOTIN.

Hé bien, nous nous verrons seul à seul chez Barbin.

SCÈNE IV.

TRISSOTIN, PHILAMINTE, ARMANDE, BÉLISE, HENRIETTE.

TRISSOTIN.

A mon emportement ne donnez aucun blâme :　　　　1045
C'est votre jugement que je défends, Madame,
Dans le sonnet qu'il a l'audace d'attaquer.

PHILAMINTE.

A vous remettre bien je me veux appliquer.
Mais parlons d'autre affaire.　Approchez, Henriette.
Depuis assez longtemps mon âme s'inquiète　　　　1050
De ce qu'aucun esprit en vous ne se fait voir,
Mais je trouve un moyen de vous en faire avoir.

HENRIETTE.

C'est prendre un soin pour moi qui n'est pas nécessaire :
Les doctes entretiens ne sont point mon affaire ;
J'aime à vivre aisément, et dans tout ce qu'on dit,　　1055
Il faut se trop peiner pour avoir de l'esprit.
C'est une ambition que je n'ai point en tête ;
Je me trouve fort bien, ma mère, d'être bête,
Et j'aime mieux n'avoir que de communs propos,
Que de me tourmenter pour dire de beaux mots.　　1060

PHILAMINTE.

Oui, mais j'y suis blessée, et ce n'est pas mon compte
De souffrir dans mon sang une pareille honte.
La beauté du visage est un frêle ornement,
Une fleur passagère, un éclat d'un moment,
Et qui n'est attaché qu'à la simple épiderme ;　　1065
Mais celle de l'esprit est inhérente et ferme.

J'ai donc cherché longtemps un biais de vous donner
La beauté que les ans ne peuvent moissonner,
De faire entrer chez vous le désir des sciences,
De vous insinuer les belles connaissances ;   1070
Et la pensée enfin où mes vœux ont souscrit,
C'est d'attacher à vous un homme plein d'esprit ;
Et cet homme est monsieur que je vous détermine
A voir comme l'époux que mon choix vous destine.

HENRIETTE.

Moi, ma mère ?

PHILAMINTE.

Oui, vous.   Faites la sotte un peu.   1075

BÉLISE.

Je vous entends.   Vos yeux demandent mon aveu,
Pour engager ailleurs un cœur que je possède.
Allez, je le veux bien.   A ce nœud je vous cède :
C'est un hymen qui fait votre établissement.

TRISSOTIN.

Je ne sais que vous dire en mon ravissement,   1080
Madame ; et cet hymen dont je vois qu'on m'honore
Me met . . .

HENRIETTE.

Tout beau, Monsieur, il n'est pas fait encore :
Ne vous pressez pas tant.

PHILAMINTE.

Comme vous répondez !
Savez-vous bien que si . . . Suffit, vous m'entendez.
Elle se rendra sage ; allons, laissons-la faire.   1085

SCÈNE V.

HENRIETTE, ARMANDE.

ARMANDE.

On voit briller pour vous les soins de notre mère,
Et son choix ne pouvait d'un plus illustre époux. . . .

HENRIETTE.

Si le choix est si beau, que ne le prenez-vous ?

ARMANDE.

C'est à vous, non à moi, que sa main est donnée.

HENRIETTE.

Je vous le cède tout, comme à ma sœur aînée.   1090

ARMANDE.

Si l'hymen, comme à vous, me paraissait charmant,
J'accepterais votre offre avec ravissement.

HENRIETTE.

Si j'avais, comme vous, les pédants dans la tête,
Je pourrais le trouver un parti fort honnête.

ARMANDE.

Cependant, bien qu'ici nos goûts soient différents,   1095
Nous devons obéir, ma sœur, à nos parents :
Une mère a sur nous une entière puissance,
Et vous croyez en vain par votre résistance. . . .

SCÈNE VI.

CHRYSALE, ARISTE, CLITANDRE, HENRIETTE, ARMANDE.

CHRYSALE.

Allons, ma fille, il faut approuver mon dessein :
Otez ce gant ; touchez à Monsieur dans la main,   1100
Et le considérez désormais dans votre âme
En homme dont je veux que vous soyez la femme.

ARMANDE.

De ce côté, ma sœur, vos penchants sont fort grands.

HENRIETTE.

Il nous faut obéir, ma sœur, à nos parents :
Un père a sur nos vœux une entière puissance.   1105

ARMANDE.

Une mère a sa part à notre obéissance.

CHRYSALE.

Qu'est-ce à dire ?

ARMANDE.

Je dis que j'appréhende fort
Qu'ici ma mère et vous ne soyez pas d'accord ;
Et c'est un autre époux. . . .

CHRYSALE.

Taisez-vous, péronnelle !
Allez philosopher tout le soûl avec elle,   1110
Et de mes actions ne vous mêlez en rien.
Dites-lui ma pensée, et l'avertissez bien

Qu'elle ne vienne pas m'échauffer les oreilles :
Allons vite.

ARISTE.

Fort bien : vous faites des merveilles.

CLITANDRE.

Quel transport ! Quelle joie ! ah ! que mon sort est doux !

CHRYSALE.

Allons, prenez sa main, et passez devant nous,   1116
Menez-la dans sa chambre.   Ah, les douces caresses !
Tenez, mon cœur s'émeut à toutes ces tendresses,
Cela ragaillardit tout à fait mes vieux jours,
Et je me ressouviens de mes jeunes amours.   1120

ACTE IV.

SCÈNE PREMIÈRE.

ARMANDE, PHILAMINTE.

ARMANDE.

Oui, rien n'a retenu son esprit en balance :
Elle a fait vanité de son obéissance.
Son cœur, pour se livrer, à peine devant moi
S'est-il donné le temps d'en recevoir la loi,
Et semblait suivre moins les volontés d'un père,   1125
Qu'affecter de braver les ordres d'une mère.

PHILAMINTE.

Je lui montrerai bien aux lois de qui des deux
Les droits de la raison soumettent tous ses vœux,
Et qui doit gouverner, ou sa mère, ou son père,
Ou l'esprit ou le corps, la forme ou la matière.   1130

ARMANDE.

On vous en devait bien au moins un compliment ;
Et ce petit Monsieur en use étrangement,
De vouloir malgré vous devenir votre gendre.

PHILAMINTE.

Il n'en est pas encore où son cœur peut prétendre.
Je le trouvais bien fait, et j'aimais vos amours ;   1135
Mais dans ses procédés il m'a déplu toujours.

Il sait que, Dieu merci, je me mêle d'écrire,
Et jamais il ne m'a prié de lui rien lire.

SCÈNE II.

CLITANDRE, ARMANDE, PHILAMINTE.

ARMANDE.

Je ne souffrirais point, si j'étais que de vous,
Que jamais d'Henriette il pût être l'époux.   1140
On me ferait grand tort d'avoir quelque pensée
Que là-dessus je parle en fille intéressée,
Et que le lâche tour que l'on voit qu'il me fait
Jette au fond de mon cœur quelque dépit secret :
Contre de pareils coups l'âme se fortifie   1145
Du solide secours de la philosophie,
Et par elle on se peut mettre au-dessus de tout.
Mais vous traiter ainsi, c'est vous pousser à bout :
Il est de votre honneur d'être à ses vœux contraire,
Et c'est un homme enfin qui ne doit point vous plaire.   1150
Jamais je n'ai connu, discourant entre nous,
Qu'il eût au fond du cœur de l'estime pour vous.

PHILAMINTE.

Petit sot !

ARMANDE.

Quelque bruit que votre gloire fasse,
Toujours à vous louer il a paru de glace.

PHILAMINTE.

Le brutal !

ARMANDE.

Et vingt fois, comme ouvrages nouveaux,   1155
J'ai lu des vers de vous qu'il n'a point trouvés beaux.

PHILAMINTE.

L'impertinent !

ARMANDE.

Souvent nous en étions aux prises ;
Et vous ne croiriez point de combien de sottises. . . .

CLITANDRE.

Eh ! doucement, de grâce : un peu de charité,
Madame, ou tout au moins un peu d'honnêteté.   1160
Quel mal vous ai-je fait ?   Et quelle est mon offense,
Pour armer contre moi toute votre éloquence ?
Pour vouloir me détruire, et prendre tant de soin
De me rendre odieux aux gens dont j'ai besoin ?
Parlez, dites, d'où vient ce courroux effroyable ?   1165
Je veux bien que Madame en soit juge équitable.

ARMANDE.

Si j'avais le courroux dont on veut m'accuser,
Je trouverais assez de quoi l'autoriser :
Vous en seriez trop digne, et les premières flammes
S'établissent des droits si sacrés sur les âmes,   1170
Qu'il faut perdre fortune, et renoncer au jour,
Plutôt que de brûler des feux d'un autre amour ;
Au changement de vœux nulle horreur ne s'égale,
Et tout cœur infidèle est un monstre en morale.

CLITANDRE.

Appelez-vous, Madame, une infidélité   1175
Ce que m'a de votre âme ordonné la fierté ?
Je ne fais qu'obéir aux lois qu'elle m'impose ;
Et si je vous offense, elle seule en est cause.
Vos charmes ont d'abord possédé tout mon cœur ;
Il a brûlé deux ans d'une constante ardeur ;   1180
Il n'est soins empressés, devoirs, respect, services,

Dont il ne vous ait fait d'amoureux sacrifices.
Tous mes feux, tous mes soins ne peuvent rien sur vous;
Je vous trouve contraire à mes vœux les plus doux.
Ce que vous refusez, je l'offre au choix d'une autre.   1185
Voyez : est-ce, Madame, ou ma faute, ou la vôtre ?
Mon cœur court-il au change, ou si vous l'y poussez ?
Est-ce moi qui vous quitte, ou vous qui me chassez ?

ARMANDE.

Appelez-vous, Monsieur, être à vos vœux contraire,
Que de leur arracher ce qu'ils ont de vulgaire,   1190
Et vouloir les réduire à cette pureté
Où du parfait amour consiste la beauté ?
Vous ne sauriez pour moi tenir votre pensée
Du commerce des sens nette et débarrassée ?
Et vous ne goûtez point dans ses plus doux appas,   1195
Cette union des cœurs, où les corps n'entrent pas ?
Vous ne pouvez aimer que d'une amour grossière ?
Qu'avec tout l'attirail des nœuds de la matière ?
Et pour nourrir les feux que chez vous on produit,
Il faut un mariage, et tout ce qui s'ensuit ?   1200
Ah ! quel étrange amour ! et que les belles âmes
Sont bien loin de brûler de ces terrestres flammes !
Les sens n'ont point de part à toutes leurs ardeurs,
Et ce beau feu ne veut marier que les cœurs ;
Comme une chose indigne, il laisse là le reste.   1205
C'est un feu pur et net comme le feu céleste ;
On ne pousse, avec lui, que d'honnêtes soupirs,
Et l'on ne penche point vers les sales désirs ;
Rien d'impur ne se mêle au but qu'on se propose ;
On aime pour aimer, et non pour autre chose ;   1210
Ce n'est qu'à l'esprit seul que vont tous les transports,
Et l'on ne s'aperçoit jamais qu'on ait un corps.

CLITANDRE.

Pour moi, par un malheur, je m'aperçois, Madame,
Que j'ai, ne vous déplaise, un corps tout comme une
        âme :
Je sens qu'il y tient trop, pour le laisser à part ;   1215
De ces détachements je ne connais point l'art :
Le Ciel m'a dénié cette philosophie,
Et mon âme et mon corps marchent de compagnie.
Il n'est rien de plus beau, comme vous avez dit,
Que ces vœux épurés qui ne vont qu'à l'esprit,   1220
Ces unions de cœurs, et ces tendres pensées
Du commerce des sens si bien débarrassées.
Mais ces amours pour moi sont trop subtilisés ;
Je suis un peu grossier, comme vous m'accusez ;
J'aime avec tout moi-même, et l'amour qu'on me donne   1225
En veut, je le confesse, à toute la personne.
Ce n'est pas là matière à de grands châtiments ;
Et, sans faire de tort à vos beaux sentiments,
Je vois que dans le monde on suit fort ma méthode,
Et que le mariage est assez à la mode,   1230
Passe pour un lien assez honnête et doux,
Pour avoir désiré de me voir votre époux,
Sans que la liberté d'une telle pensée
Ait dû vous donner lieu d'en paraître offensée.

ARMANDE.

Hé bien, Monsieur ! hé bien ! puisque, sans m'écouter,   1235
Vos sentiments brutaux veulent se contenter ;
Puisque, pour vous réduire à des ardeurs fidèles,
Il faut des nœuds de chair, des chaînes corporelles,
Si ma mère le veut, je résous mon esprit
A consentir pour vous à ce dont il s'agit.   1240

CLITANDRE.

Il n'est plus temps, Madame : une autre a pris la place ;
Et par un tel retour j'aurais mauvaise grâce
De maltraiter l'asile, et blesser les bontés
Où je me suis sauvé de toutes vos fiertés.

PHILAMINTE.

Mais enfin comptez-vous, Monsieur, sur mon suffrage, 1245
Quand vous vous promettez cet autre mariage ?
Et dans vos visions savez-vous, s'il vous plaît,
Que j'ai pour Henriette un autre époux tout prêt ?

CLITANDRE.

Eh, Madame ! voyez votre choix, je vous prie :
Exposez-moi, de grâce, à moins d'ignominie, 1250
Et ne me rangez pas à l'indigne destin
De me voir le rival de Monsieur Trissotin.
L'amour des beaux esprits, qui chez vous m'est contraire,
Ne pouvait m'opposer un moins noble adversaire.
Il en est, et plusieurs, que pour le bel esprit 1255
Le mauvais goût du siècle a su mettre en crédit ;
Mais Monsieur Trissotin n'a pu duper personne,
Et chacun rend justice aux écrits qu'il nous donne :
Hors céans, on le prise en tous lieux ce qu'il vaut ;
Et ce qui m'a vingt fois fait tomber de mon haut, 1260
C'est de vous voir au ciel élever des sornettes
Que vous désavoueriez, si vous les aviez faites.

PHILAMINTE.

Si vous jugez de lui tout autrement que nous,
C'est que nous le voyons par d'autres yeux que vous.

SCÈNE III.

TRISSOTIN, PHILAMINTE, ARMANDE, CLITANDRE.

TRISSOTIN.

Je viens vous annoncer une grande nouvelle.   1265
Nous l'avons, en dormant, Madame, échappé belle :
Un monde près de nous a passé tout du long,
Est chu tout au travers de notre tourbillon ;
Et s'il eût en chemin rencontré notre terre,
Elle eût été brisée en morceaux comme verre.   1270

PHILAMINTE.

Remettons ce discours pour une autre saison :
Monsieur n'y trouverait ni rime, ni raison ;
Il fait profession de chérir l'ignorance,
Et de haïr surtout l'esprit et la science.

CLITANDRE.

Cette vérité veut quelque adoucissement.   1275
Je m'explique, Madame, et je hais seulement
La science et l'esprit qui gâtent les personnes.
Ce sont choses de soi qui sont belles et bonnes ;
Mais j'aimerais mieux être au rang des ignorants,
Que de me voir savant comme certaines gens.   1280

TRISSOTIN.

Pour moi, je ne tiens pas, quelque effet qu'on suppose,
Que la science soit pour gâter quelque chose.

CLITANDRE.

Et c'est mon sentiment qu'en faits, comme en propos,
La science est sujette à faire de grands sots.

TRISSOTIN.

Le paradoxe est fort.

CLITANDRE.

Sans être fort habile, 1285
La preuve m'en serait, je pense, assez facile :
Si les raisons manquaient, je suis sûr qu'en tous cas
Les exemples fameux ne me manqueraient pas.

TRISSOTIN.

Vous en pourriez citer qui ne concluraient guère.

CLITANDRE.

Je n'irais pas bien loin pour trouver mon affaire. 1290

TRISSOTIN.

Pour moi, je ne vois pas ces exemples fameux.

CLITANDRE.

Moi, je les vois si bien, qu'ils me crèvent les yeux.

TRISSOTIN.

J'ai cru jusques ici que c'était l'ignorance
Qui faisait les grands sots, et non pas la science.

CLITANDRE.

Vous avez cru fort mal, et je vous suis garant 1295
Qu'un sot savant est sot plus qu'un sot ignorant.

TRISSOTIN.

Le sentiment commun est contre vos maximes,
Puisque ignorant et sot sont termes synonymes.

CLITANDRE.

Si vous le voulez prendre aux usages du mot,
L'alliance est plus grande entre pédant et sot. 1300

TRISSOTIN.

La sottise dans l'un se fait voir toute pure.

CLITANDRE.

Et l'étude dans l'autre ajoute à la nature.

TRISSOTIN.

Le savoir garde en soi son mérite éminent.

CLITANDRE.

Le savoir dans un fat devient impertinent.

TRISSOTIN.

Il faut que l'ignorance ait pour vous de grands charmes, 1305
Puisque pour elle ainsi vous prenez tant les armes.

CLITANDRE.

Si pour moi l'ignorance a des charmes bien grands,
C'est depuis qu'à mes yeux s'offrent certains savants.

TRISSOTIN.

Ces certains savants-là peuvent, à les connaître,
Valoir certaines gens que nous voyons paraître.   1310

CLITANDRE.

Oui, si l'on s'en rapporte à ces certains savants ;
Mais on n'en convient pas chez ces certaines gens.

PHILAMINTE.

Il me semble, Monsieur . . .

CLITANDRE.

Eh, Madame ! de grâce :
Monsieur est assez fort, sans qu'à son aide on passe ;

Je n'ai déjà que trop d'un si rude assaillant,   1315
Et si je me défends, ce n'est qu'en reculant.

ARMANDE.

Mais l'offensante aigreur de chaque repartie
Dont vous . . .

CLITANDRE.

Autre second : je quitte la partie.

PHILAMINTE.

On souffre aux entretiens ces sortes de combats,
Pourvu qu'à la personne on ne s'attaque pas.   1320

CLITANDRE.

Eh, mon Dieu ! tout cela n'a rien dont il s'offense :
Il entend raillerie autant qu'homme de France ;
Et de bien d'autres traits il s'est senti piquer,
Sans que jamais sa gloire ait fait que s'en moquer.

TRISSOTIN.

Je ne m'étonne pas, au combat que j'essuie,   1325
De voir prendre à Monsieur la thèse qu'il appuie.
Il est fort enfoncé dans la cour, c'est tout dit :
La cour, comme l'on sait, ne tient pas pour l'esprit ;
Elle a quelque intérêt d'appuyer l'ignorance,
Et c'est en courtisan qu'il en prend la défense.   1330

CLITANDRE.

Vous en voulez beaucoup à cette pauvre cour,
Et son malheur est grand de voir que chaque jour
Vous autres beaux esprits vous déclamiez contre elle,
Que de tous vos chagrins vous lui fassiez querelle,
Et, sur son méchant goût lui faisant son procès,   1335
N'accusiez que lui seul de vos méchants succès.

Permettez-moi, Monsieur Trissotin, de vous dire,
Avec tout le respect que votre nom m'inspire,
Que vous feriez fort bien, vos confrères et vous,
De parler de la cour d'un ton un peu plus doux ;   1340
Qu'à le bien prendre, au fond, elle n'est pas si bête
Que vous autres Messieurs vous vous mettez en tête ;
Qu'elle a du sens commun pour se connaître à tout ;
Que chez elle on se peut former quelque bon goût ;
Et que l'esprit du monde y vaut, sans flatterie,   1345
Tout le savoir obscur de la pédanterie.

TRISSOTIN.

De son bon goût, Monsieur, nous voyons les effets.

CLITANDRE.

Où voyez-vous, Monsieur, qu'elle l'ait si mauvais ?

TRISSOTIN.

Ce que je vois, Monsieur, c'est que pour la science
Rasius et Baldus font honneur à la France,   1350
Et que tout leur mérite, exposé fort au jour,
N'attire point les yeux et les dons de la cour.

CLITANDRE.

Je vois votre chagrin, et que par modestie
Vous ne vous mettez point, Monsieur, de la partie ;
Et pour ne vous point mettre aussi dans le propos,   1355
Que font-ils pour l'État vos habiles héros ?
Qu'est-ce que leurs écrits lui rendent de service,
Pour accuser la cour d'une horrible injustice,
Et se plaindre en tous lieux que sur leurs doctes noms
Elle manque à verser la faveur de ses dons ?   1360
Leur savoir à la France est beaucoup nécessaire,
Et des livres qu'ils font la cour a bien affaire.

Il semble à trois gredins, dans leur petit cerveau,
Que, pour être imprimés et reliés en veau,
Les voilà dans l'État d'importantes personnes ;   1365
Qu'avec leur plume ils font les destins des couronnes ;
Qu'au moindre petit bruit de leurs productions
Ils doivent voir chez eux voler les pensions ;
Que sur eux l'univers a la vue attachée ;
Que partout de leur nom la gloire est épanchée,   1370
Et qu'en science ils sont des prodiges fameux,
Pour savoir ce qu'ont dit les autres avant eux,
Pour avoir eu trente ans des yeux et des oreilles,
Pour avoir employé neuf ou dix mille veilles
A se bien barbouiller de grec et de latin,   1375
Et se charger l'esprit d'un ténébreux butin
De tous les vieux fatras qui traînent dans les livres :
Gens qui de leur savoir paraissent toujours ivres,
Riches, pour tout mérite, en babil importun,
Inhabiles à tout, vides de sens commun,   1380
Et pleins d'un ridicule et d'une impertinence
A décrier partout l'esprit et la science.

PHILAMINTE.

Votre chaleur est grande, et cet emportement
De la nature en vous marque le mouvement :
C'est le nom de rival qui dans votre âme excite . . .   1385

SCÈNE IV.

JULIEN, TRISSOTIN, PHILAMINTE, CLITANDRE, ARMANDE.

JULIEN.

Le savant qui tantôt vous a rendu visite,
Et de qui j'ai l'honneur de me voir le valet,
Madame, vous exhorte à lire ce billet.

PHILAMINTE.

Quelque important que soit ce qu'on veut que je lise,
Apprenez, mon ami, que c'est une sottise　　　　　1390
De se venir jeter au travers d'un discours,
Et qu'aux gens d'un logis il faut avoir recours,
Afin de s'introduire en valet qui sait vivre.

JULIEN.

Je noterai cela, Madame, dans mon livre.

PHILAMINTE lit:

Trissotin s'est vanté, Madame, qu'il épouserait votre fille.
Je vous donne avis que sa philosophie n'en veut qu'à vos
richesses, et que vous ferez bien de ne point conclure ce mariage
que vous n'ayez vu le poème que je compose contre lui.　En
attendant cette peinture, où je prétends vous le dépeindre de
toutes ses couleurs, je vous envoie Horace, Virgile, Térence, et
Catulle, où vous verrez notés en marge tous les endroits qu'il
a pillés.

PHILAMINTE poursuit.

Voilà sur cet hymen que je me suis promis　　　　　1395
Un mérite attaqué de beaucoup d'ennemis;
Et ce déchaînement aujourd'hui me convie
A faire une action qui confonde l'envie,
Qui lui fasse sentir que l'effort qu'elle fait,
De ce qu'elle veut rompre aura pressé l'effet.　　　　1400
Reportez tout cela sur l'heure à votre maître,
Et lui dites qu'afin de lui faire connaître
Quel grand état je fais de ses nobles avis
Et comme je les crois dignes d'être suivis,
Dès ce soir à Monsieur je marierai ma fille.　　　　1405
Vous, Monsieur, comme ami de toute la famille,

A signer leur contrat vous pourrez assister,
Et je vous y veux bien, de ma part, inviter.
Armande, prenez soin d'envoyer au Notaire,
Et d'aller avertir votre sœur de l'affaire.   1410

ARMANDE.

Pour avertir ma sœur, il n'en est pas besoin,
Et Monsieur que voilà saura prendre le soin
De courir lui porter bientôt cette nouvelle,
Et disposer son cœur à vous être rebelle.

PHILAMINTE.

Nous verrons qui sur elle aura plus de pouvoir,   1415
Et si je la saurai réduire à son devoir.

(Elle s'en va.)

ARMANDE.

J'ai grand regret, Monsieur, de voir qu'à vos visées
Les choses ne soient pas tout à fait disposées.

CLITANDRE.

Je m'en vais travailler, Madame, avec ardeur,
A ne vous point laisser ce grand regret au cœur.   1420

ARMANDE.

J'ai peur que votre effort n'ait pas trop bonne issue.

CLITANDRE.

Peut-être verrez-vous votre crainte déçue.

ARMANDE.

Je le souhaite ainsi.

CLITANDRE.

                    J'en suis persuadé,
Et que de votre appui je serai secondé.

ARMANDE.

Oui, je vais vous servir de toute ma puissance.　　　1425

CLITANDRE.

Et ce service est sûr de ma reconnaissance.

SCÈNE V.

CHRYSALE, ARISTE, HENRIETTE, CLITANDRE.

CLITANDRE.

Sans votre appui, Monsieur, je serai malheureux :
Madame votre femme a rejeté mes vœux,
Et son cœur prévenu veut Trissotin pour gendre.

CHRYSALE.

Mais quelle fantaisie a-t-elle donc pu prendre ?　　　1430
Pourquoi diantre vouloir ce Monsieur Trissotin ?

ARISTE.

C'est par l'honneur qu'il a de rimer à latin,
Qu'il a sur son rival emporté l'avantage.

CLITANDRE.

Elle veut dès ce soir faire ce mariage.

CHRYSALE.

Dès ce soir ?

CLITANDRE.

Dès ce soir.

CHRYSALE.

Et dès ce soir je veux,　　　1435
Pour la contrecarrer, vous marier vous deux.

CLITANDRE.

Pour dresser le contrat, elle envoie au Notaire.

CHRYSALE.

Et je vais le quérir pour celui qu'il doit faire.

CLITANDRE.

Et Madame doit être instruite par sa sœur
De l'hymen où l'on veut qu'elle apprête son cœur.   1440

CHRYSALE.

Et moi, je lui commande avec pleine puissance
De préparer sa main à cette autre alliance.
Ah ! je leur ferai voir si, pour donner la loi,
Il est dans ma maison d'autre maître que moi.
Nous allons revenir, songez à nous attendre.   1445
Allons, suivez mes pas, mon frère, et vous, mon gendre.

HENRIETTE.

Hélas ! dans cette humeur conservez-le toujours.

ARISTE.

J'emploierai toute chose à servir vos amours.

CLITANDRE.

Quelque secours puissant qu'on promette à ma flamme,
Mon plus solide espoir, c'est votre cœur, Madame.   1450

HENRIETTE.

Pour mon cœur, vous pouvez vous assurer de lui.

CLITANDRE.

Je ne puis qu'être heureux, quand j'aurai son appui.

HENRIETTE.

Vous voyez à quels nœuds on prétend le contraindre.

CLITANDRE.

Tant qu'il sera pour moi, je ne vois rien à craindre.

HENRIETTE.

Je vais tout essayer pour nos vœux les plus doux ;   1455
Et, si tous mes efforts ne me donnent à vous,
Il est une retraite où notre âme se donne
Qui m'empêchera d'être à toute autre personne.

CLITANDRE.

Veuille le juste Ciel me garder en ce jour
De recevoir de vous cette preuve d'amour !   1460

ACTE V.

SCÈNE PREMIÈRE.

HENRIETTE, TRISSOTIN.

HENRIETTE.

C'est sur le mariage où ma mère s'apprête
Que j'ai voulu, Monsieur, vous parler tête à tête ;
Et j'ai cru, dans le trouble où je vois la maison,
Que je pourrais vous faire écouter la raison.
Je sais qu'avec mes vœux vous me jugez capable   1465
De vous porter en dot un bien considérable ;
Mais l'argent, dont on voit tant de gens faire cas,
Pour un vrai philosophe a d'indignes appas ;
Et le mépris du bien et des grandeurs frivoles
Ne doit point éclater dans vos seules paroles.   1470

TRISSOTIN.

Aussi n'est-ce point là ce qui me charme en vous ;
Et vos brillants attraits, vos yeux perçants et doux,
Votre grâce et votre air, sont les biens, les richesses,
Qui vous ont attiré mes vœux et mes tendresses :
C'est de ces seuls trésors que je suis amoureux.   1475

HENRIETTE.

Je suis fort redevable à vos feux généreux :
Cet obligeant amour a de quoi me confondre,
Et j'ai regret, Monsieur, de n'y pouvoir répondre.

Je vous estime autant qu'on saurait estimer ;
Mais je trouve un obstacle à vous pouvoir aimer :   1480
Un cœur, vous le savez, à deux ne saurait être,
Et je sens que du mien Clitandre s'est fait maître.
Je sais qu'il a bien moins de mérite que vous,
Que j'ai de méchants yeux pour le choix d'un époux,
Que par cent beaux talents vous devriez me plaire ;   1485
Je vois bien que j'ai tort, mais je n'y puis que faire ;
Et tout ce que sur moi peut le raisonnement,
C'est de me vouloir mal d'un tel aveuglement.

TRISSOTIN.

Le don de votre main, où l'on me fait prétendre
Me livrera ce cœur que possède Clitandre ;   1490
Et par mille doux soins, j'ai lieu de présumer
Que je pourrai trouver l'art de me faire aimer.

HENRIETTE.

Non : à ses premiers vœux mon âme est attachée,
Et ne peut de vos soins, Monsieur, être touchée.
Avec vous librement j'ose ici m'expliquer,   1495
Et mon aveu n'a rien qui vous doive choquer.
Cette amoureuse ardeur qui dans les cœurs s'excite
N'est point, comme l'on sait, un effet du mérite :
Le caprice y prend part, et quand quelqu'un nous plaît,
Souvent nous avons peine à dire pourquoi c'est.   1500
Si l'on aimait, Monsieur, par choix et par sagesse,
Vous auriez tout mon cœur et toute ma tendresse ;
Mais on voit que l'amour se gouverne autrement.
Laissez-moi, je vous prie, à mon aveuglement,
Et ne vous servez point de cette violence   1505
Que pour vous on veut faire à mon obéissance.
Quand on est honnête homme, on ne veut rien devoir

A ce que des parents ont sur nous de pouvoir ;
On répugne à se faire immoler ce qu'on aime,
Et l'on veut n'obtenir un cœur que de lui-même.   1510
Ne poussez point ma mère à vouloir, par son choix
Exercer sur mes vœux la rigueur de ses droits ;
Otez-moi votre amour, et portez à quelque autre
Les hommages d'un cœur aussi cher que le vôtre.

TRISSOTIN.

Le moyen que ce cœur puisse vous contenter ?   1515
Imposez-lui des lois qu'il puisse exécuter.
De ne vous point aimer peut-il être capable,
A moins que vous cessiez, Madame, d'être aimable,
Et d'étaler aux yeux les célestes appas . . .

HENRIETTE.

Eh, Monsieur ! laissons là ce galimatias.   1520
Vous avez tant d'Iris, de Philis, d'Amarantes,
Que partout dans vos vers vous peignez si charmantes,
Et pour qui vous jurez tant d'amoureuse ardeur . . .

TRISSOTIN.

C'est mon esprit qui parle, et ce n'est pas mon cœur.
D'elles on ne me voit amoureux qu'en poète ;   1525
Mais j'aime tout de bon l'adorable Henriette.

HENRIETTE.

Eh ! de grâce, Monsieur . . .

TRISSOTIN.

                          Si c'est vous offenser,
Mon offense envers vous n'est pas prête à cesser.
Cette ardeur, jusqu'ici de vos yeux ignorée,
Vous consacre des vœux d'éternelle durée ;   1530

Rien n'en peut arrêter les aimables transports ;
Et, bien que vos beautés condamnent mes efforts,
Je ne puis refuser le secours d'une mère
Qui prétend couronner une flamme si chère ;
Et pourvu que j'obtienne un bonheur si charmant,   1535
Pourvu que je vous aie, il n'importe comment.

HENRIETTE.

Mais savez-vous qu'on risque un peu plus qu'on ne pense,
A vouloir sur un cœur user de violence ?
Qu'il ne fait pas bien sûr, à vous le trancher net,
D'épouser une fille en dépit qu'elle en ait,   1540
Et qu'elle peut aller, en se voyant contraindre,
A des ressentiments que le mari doit craindre ?

TRISSOTIN.

Un tel discours n'a rien dont je sois altéré :
A tous événements le sage est préparé ;
Guéri par la raison des faiblesses vulgaires,   1545
Il se met au-dessus de ces sortes d'affaires,
Et n'a garde de prendre aucune ombre d'ennui
De tout ce qui n'est pas pour dépendre de lui.

HENRIETTE.

En vérité, Monsieur, je suis de vous ravie ;
Et je ne pensais pas que la philosophie   1550
Fût si belle qu'elle est, d'instruire ainsi les gens
A porter constamment de pareils accidents.
Cette fermeté d'âme à vous si singulière,
Mérite qu'on lui donne une illustre matière,
Est digne de trouver qui prenne avec amour   1555
Les soins continuels de la mettre en son jour ;
Et comme, à dire vrai, je n'oserais me croire

Bien propre à lui donner tout l'éclat de sa gloire,
Je le laisse à quelque autre, et vous jure entre nous,
Que je renonce au bien de vous voir mon époux.   1560

TRISSOTIN.

Nous allons voir bientôt comment ira l'affaire,
Et l'on a là dedans fait venir le Notaire.

SCÈNE II.

CHRYSALE, CLITANDRE, MARTINE, HENRIETTE.

CHRYSALE.

Ah, ma fille ! je suis bien aise de vous voir.
Allons, venez-vous-en faire votre devoir,
Et soumettre vos vœux aux volontés d'un père.   1565
Je veux, je veux apprendre à vivre à votre mère,
Et, pour la mieux braver, voilà, malgré ses dents,
Martine que j'amène, et rétablis céans.

HENRIETTE.

Vos résolutions sont dignes de louange.
Gardez que cette humeur, mon père, ne vous change ;   1570
Soyez ferme à vouloir ce que vous souhaitez,
Et ne vous laissez point séduire à vos bontés ;
Ne vous relâchez pas, et faites bien en sorte
D'empêcher que sur vous ma mère ne l'emporte.

CHRYSALE.

Comment ?   Me prenez-vous ici pour un benêt ?   1575

HENRIETTE.

M'en préserve le Ciel !

CHRYSALE.

Suis-je un fat, s'il vous plaît ?

HENRIETTE.

Je ne dis pas cela.

CHRYSALE.

Me croit-on incapable
Des fermes sentiments d'un homme raisonnable ?

HENRIETTE.

Non, mon père.

CHRYSALE.

Est-ce donc qu'à l'âge où je me voi,
Je n'aurais pas l'esprit d'être maître chez moi ?   1580

HENRIETTE.

Si fait.

CHRYSALE.

Et que j'aurais cette faiblesse d'âme,
De me laisser mener par le nez à ma femme ?

HENRIETTE.

Eh ! non, mon père.

CHRYSALE.

Ouais !   Qu'est-ce donc que ceci ?
Je vous trouve plaisante à me parler ainsi.

HENRIETTE.

Si je vous ai choqué, ce n'est pas mon envie.   1585

CHRYSALE.

Ma volonté céans doit être en tout suivie.

HENRIETTE.

Fort bien, mon père.

CHRYSALE.

                    Aucun, hors moi, dans la maison,
N'a droit de commander.

HENRIETTE.

                              Oui, vous avez raison.

CHRYSALE.

C'est moi qui tiens le rang de chef de la famille.

HENRIETTE.

D'accord.

CHRYSALE.

              C'est moi qui dois disposer de ma fille.   1590

HENRIETTE.

Eh ! oui.

CHRYSALE.

              Le Ciel me donne un plein pouvoir sur vous.

HENRIETTE.

Qui vous dit le contraire ?

CHRYSALE.

                        Et pour prendre un époux,
Je vous ferai bien voir que c'est à votre père
Qu'il vous faut obéir, et non à votre mère.

HENRIETTE.

Hélas ! vous flattez là le plus doux de mes vœux.   1595
Veuillez être obéi, c'est tout ce que je veux.

CHRYSALE.

Nous verrons si ma femme à mes désirs rebelle.. . . .

CLITANDRE.

La voici qui conduit le Notaire avec elle.

CHRYSALE.

Secondez-moi bien tous.

MARTINE.

Laissez-moi, j'aurai soin
De vous encourager, s'il en est de besoin.   1600

SCÈNE III.

PHILAMINTE, BÉLISE, ARMANDE, TRISSOTIN, LE
NOTAIRE, CHRYSALE, CLITANDRE, HENRIETTE, MARTINE.

PHILAMINTE.

Vous ne sauriez changer votre style sauvage,
Et nous faire un contrat qui soit en beau langage ?

LE NOTAIRE.

Notre style est très bon, et je serais un sot,
Madame, de vouloir y changer un seul mot.

BÉLISE.

Ah ! quelle barbarie au milieu de la France !   1605
Mais au moins, en faveur, Monsieur, de la science,
Veuillez, au lieu d'écus, de livres et de francs,
Nous exprimer la dot en mines et talents,
Et dater par les mots d'ides et de calendes.

LE NOTAIRE.

Moi ?   Si j'allais, Madame, accorder vos demandes,   1610
Je me ferais siffler de tous mes compagnons.

PHILAMINTE.

De cette barbarie en vain nous nous plaignons.
Allons, Monsieur, prenez la table pour écrire.
Ah ! ah ! cette impudente ose encor se produire ?
Pourquoi donc, s'il vous plaît, la ramener chez moi ?   1615

CHRYSALE.

Tantôt, avec loisir, on vous dira pourquoi.
Nous avons maintenant autre chose à conclure.

LE NOTAIRE.

Procédons au contrat.   Où donc est la future ?

PHILAMINTE.

Celle que je marie est la cadette.

LE NOTAIRE.

Bon.

CHRYSALE.

Oui.   La voilà, Monsieur ; Henriette est son nom.   1620

LE NOTAIRE.

Fort bien.   Et le futur ?

PHILAMINTE.

L'époux que je lui donne
Est Monsieur.

CHRYSALE.

Et celui, moi, qu'en propre personne
Je prétends qu'elle épouse, est Monsieur.

LE NOTAIRE.

Deux époux !

C'est trop pour la coutume.

PHILAMINTE.

Où vous arrêtez-vous ?
Mettez, mettez, Monsieur, Trissotin pour mon gendre. 1625

CHRYSALE.

Pour mon gendre mettez, mettez, Monsieur, Clitandre.

LE NOTAIRE.

Mettez-vous donc d'accord, et d'un jugement mûr
Voyez à convenir entre vous du futur.

PHILAMINTE.

Suivez, suivez, Monsieur, le choix où je m'arrête.

CHRYSALE.

Faites, faites, Monsieur, les choses à ma tête.   1630

LE NOTAIRE.

Dites-moi donc à qui j'obéirai des deux.

PHILAMINTE.

Quoi donc ?   Vous combattez les choses que je veux ?

CHRYSALE.

Je ne saurais souffrir qu'on ne cherche ma fille
Que pour l'amour du bien qu'on voit dans ma famille.

PHILAMINTE.

Vraiment à votre bien on songe bien ici,   1635
Et c'est là pour un sage un fort digne souci !

CHRYSALE.

Enfin pour son époux j'ai fait choix de Clitandre.

PHILAMINTE.

Et moi, pour son époux, voici qui je veux prendre :
Mon choix sera suivi, c'est un point résolu.

CHRYSALE.

Ouais ! Vous le prenez là d'un ton bien absolu ?   1640

MARTINE.

Ce n'est point à la femme à prescrire, et je sommes
Pour céder le dessus en toute chose aux hommes.

CHRYSALE.

C'est bien dit.

MARTINE.

              Mon congé cent fois me fût-il hoc,
La poule ne doit point chanter devant le coq.

CHRYSALE.

Sans doute.

MARTINE.

           Et nous voyons que d'un homme on se gausse,
Quand sa femme chez lui porte le haut-de-chausse.   1646

CHRYSALE.

Il est vrai.

MARTINE.

            Si j'avais un mari, je le dis,
Je voudrais qu'il se fît le maître du logis ;
Je ne l'aimerais point, s'il faisait le jocrisse ;
Et si je contestais contre lui par caprice,   1650

Si je parlais trop haut, je trouverais fort bon
Qu'avec quelques soufflets il rabaissât mon ton.

CHRYSALE.

C'est parler comme il faut.

MARTINE.

                    Monsieur est raisonnable
De vouloir pour sa fille un mari convenable.

CHRYSALE.

Oui.

MARTINE.

        Par quelle raison, jeune et bien fait qu'il est,   1655
Lui refuser Clitandre ?   Et pourquoi, s'il vous plaît,
Lui bailler un savant, qui sans cesse épilogue ?
Il lui faut un mari, non pas un pédagogue ;
Et ne voulant savoir le grais, ni le latin,
Elle n'a pas besoin de Monsieur Trissotin.   1660

CHRYSALE.

Fort bien.

PHILAMINTE.

        Il faut souffrir qu'elle jase à son aise.

MARTINE.

Les savants ne sont bons que pour prêcher en chaise ;
Et pour mon mari, moi, mille fois je l'ai dit,
Je ne voudrais jamais prendre un homme d'esprit.
L'esprit n'est point du tout ce qu'il faut en ménage ;   1665
Les livres cadrent mal avec le mariage ;
Et je veux, si jamais on engage ma foi,
Un mari qui n'ait point d'autre livre que moi,

Qui ne sache A ne B, n'en déplaise à Madame,
Et ne soit en un mot docteur que pour sa femme.   1670

PHILAMINTE.

Est-ce fait ? et sans trouble ai-je assez écouté
Votre digne interprète ?

CHRYSALE.

Elle a dit vérité.

PHILAMINTE.

Et moi, pour trancher court toute cette dispute,
Il faut qu'absolument mon désir s'exécute.
Henriette et Monsieur seront joints de ce pas ;   1675
Je l'ai dit, je le veux : ne me répliquez pas ;
Et si votre parole à Clitandre est donnée,
Offrez-lui le parti d'épouser son aînée.

CHRYSALE.

Voilà dans cette affaire un accommodement.
Voyez, y donnez-vous votre consentement ?   1680

HENRIÉTTE.

Eh, mon père !

CLITANDRE.

Eh, Monsieur !

BÉLISE.

On pourrait bien lui faire
Des propositions qui pourraient mieux lui plaire ;
Mais nous établissons une espèce d'amour
Qui doit être épuré comme l'astre du jour :
La substance qui pense y peut être reçue,   1685
Mais nous en bannissons la substance étendue.

SCÈNE DERNIÈRE.

ARISTE, CHRYSALE, PHILAMINTE, BÉLISE, HENRIETTE,
ARMANDE, TRISSOTIN, LE NOTAIRE, CLITANDRE,
MARTINE.

ARISTE.

J'ai regret de troubler un mystère joyeux
Par le chagrin qu'il faut que j'apporte en ces lieux.
Ces deux lettres me font porteur de deux nouvelles,
Dont j'ai senti pour vous les atteintes cruelles :   1690
L'une, pour vous, me vient de votre procureur ;
L'autre, pour vous, me vient de Lyon.

PHILAMINTE.

                              Quel malheur,
Digne de nous troubler, pourrait-on nous écrire ?

ARISTE.

Cette lettre en contient un que vous pouvez lire.

PHILAMINTE.

*Madame, j'ai prié Monsieur votre frère de vous rendre
cette lettre, qui vous dira ce que je n'ai osé vous aller dire.
La grande négligence que vous avez pour vos affaires a été
cause que le clerc de votre rapporteur ne m'a point averti,
et vous avez perdu absolument votre procès que vous deviez
gagner.*

CHRYSALE.

Votre procès perdu !

PHILAMINTE.

                    Vous vous troublez beaucoup !   1695
Mon cœur n'est point du tout ébranlé de ce coup.

Faites, faites paraître une âme moins commune,
A braver, comme moi, les traits de la fortune.

Le peu de soin que vous avez vous coûte quarante mille
écus, et c'est à payer cette somme, avec les dépens, que vous
êtes condamnée par arrêt de la Cour.

Condamnée! Ah! ce mot est choquant, et n'est fait
Que pour les criminels.

ARISTE.

Il a tort, en effet,   1700

Et vous vous êtes là justement récriée.
Il devait avoir mis que vous êtes priée,
Par arrêt de la Cour, de payer au plus tôt
Quarante mille écus, et les dépens qu'il faut.

PHILAMINTE.

Voyons l'autre.

CHRYSALE lit:

Monsieur, l'amitié qui me lie à Monsieur votre frère me
fait prendre intérêt à tout ce qui vous touche. Je sais que
vous avez mis votre bien entre les mains d'Argante et de
Damon, et je vous donne avis qu'en même jour ils ont fait
tous deux banqueroute.

O Ciel! Tout à la fois perdre ainsi tout son bien!   1705

PHILAMINTE.

Ah! quel honteux transport! Fi! Tout cela n'est rien.
Il n'est pour le vrai sage aucun revers funeste,
Et perdant toute chose, à soi-même il se reste.
Achevons notre affaire, et quittez votre ennui :
Son bien nous peut suffire, et pour nous, et pour lui.   1710

TRISSOTIN.

Non, Madame : cessez de presser cette affaire.
Je vois qu'à cet hymen tout le monde est contraire,
Et mon dessein n'est point de contraindre les gens.

PHILAMINTE.

Cette réflexion vous vient en peu de temps !
Elle suit de bien près, Monsieur, notre disgrâce.   1715

TRISSOTIN.

De tant de résistance à la fin je me lasse.
J'aime mieux renoncer à tout cet embarras,
Et ne veux point d'un cœur qui ne se donne pas.

PHILAMINTE.

Je vois, je vois de vous, non pas pour votre gloire,
Ce que jusques ici j'ai refusé de croire.   1720

TRISSOTIN.

Vous pouvez voir de moi tout ce que vous voudrez,
Et je regarde peu comment vous le prendrez.
Mais je ne suis pas homme à souffrir l'infamie
Des refus offensants qu'il faut qu'ici j'essuie ;
Je vaux bien que de moi l'on fasse plus de cas,   1725
Et je baise les mains à qui ne me veut pas.

PHILAMINTE.

Qu'il a bien découvert son âme mercenaire !
Et que peu philosophe est ce qu'il vient de faire !

CLITANDRE.

Je ne me vante point de l'être, mais enfin
Je m'attache, Madame, à tout votre destin,   1730

Et j'ose vous offrir avecque ma personne
Ce qu'on sait que de bien la fortune me donne.

PHILAMINTE.

Vous me charmez, Monsieur, par ce trait généreux,
Et je veux couronner vos désirs amoureux.
Oui, j'accorde Henriette à l'ardeur empressée. . . .   1735

HENRIETTE.

Non, ma mère : je change à présent de pensée.
Souffrez que je résiste à votre volonté.

CLITANDRE.

Quoi ? vous vous opposez à ma félicité ?
Et, lorsqu'à mon amour je vois chacun se rendre. . . .

HENRIETTE.

Je sais le peu de bien que vous avez, Clitandre,   1740
Et je vous ai toujours souhaité pour époux,
Lorsqu'en satisfaisant à mes vœux les plus doux,
J'ai vu que mon hymen ajustait vos affaires ;
Mais lorsque nous avons les destins si contraires,
Je vous chéris assez dans cette extrémité,   1745
Pour ne vous charger point de notre adversité.

CLITANDRE.

Tout destin, avec vous, me peut être agréable ;
Tout destin me serait, sans vous, insupportable.

HENRIETTE.

L'amour dans son transport parle toujours ainsi.
Des retours importuns évitons le souci :   1750
Rien n'use tant l'ardeur de ce nœud qui nous lie,

Que les fâcheux besoins des choses de la vie ;
Et l'on en vient souvent à s'accuser tous deux
De tous les noirs chagrins qui suivent de tels feux.

ARISTE.

N'est-ce que le motif que nous venons d'entendre   1755
Qui vous fait résister à l'hymen de Clitandre ?

HENRIETTE.

Sans cela, vous verriez tout mon cœur y courir,
Et je ne fuis sa main que pour le trop chérir.

ARISTE.

Laissez-vous donc lier par des chaînes si belles.
Je ne vous ai porté que de fausses nouvelles ;   1760
Et c'est un stratagème, un surprenant secours,
Que j'ai voulu tenter pour servir vos amours,
Pour détromper ma sœur, et lui faire connaître
Ce que son philosophe à l'essai pouvait être.

CHRYSALE.

Le Ciel en soit loué !

PHILAMINTE.

                    J'en ai la joie au cœur,   1765
Par le chagrin qu'aura ce lâche déserteur.
Voilà le châtiment de sa basse avarice,
De voir qu'avec éclat cet hymen s'accomplisse.

CHRYSALE.

Je le savais bien, moi, que vous l'épouseriez.

ARMANDE.

Ainsi donc à leurs vœux vous me sacrifiez ?   1770

PHILAMINTE.

Ce ne sera point vous que je leur sacrifie,
Et vous avez l'appui de la philosophie,
Pour voir d'un œil content couronner leur ardeur.

BÉLISE.

Qu'il prenne garde au moins que je suis dans son cœur :
Par un prompt désespoir souvent on se marie,   1775
Qu'on s'en repent après tout le temps de sa vie.

CHRYSALE.

Allons, Monsieur, suivez l'ordre que j'ai prescrit,
Et faites le contrat ainsi que je l'ai dit.

NOTES.

ACT I. Scene I.

Personnages. — bon bourgeois. Not in the sense of *good*, but *homme de bonne bourgeoisie*, — man of middle class in comfortable circumstances.

---

1. **le beau nom de fille est un titre.** To be a maiden is indeed a title for Armande, and indicates the horror of the *précieuses* and *savantes* for marriage, and their love for philosophy.

2. **quitter**, in the sense of *renoncer à, to give up*.

3. **faire fête**, *rejoice in*. We should say now, *vous faire fête*. The expression in the seventeenth century meant also an invitation to share one's joy, and to hope, to rejoice in advance.

5. **ce "oui."** No hiatus, as *oui* has almost a consonant sound.

7. The sentence is interrupted here, and the meaning is: "Which forces you to express such horror for it."

11. **blessée**, *shocked*.

19. **sont pour vous plaire**, for *sont faits, sont de nature à vous plaire*. Molière often uses *être pour*.

23. **suivie**, *accompanied with*.

26. **étage bas**, *low degree, low rank*. In the seventeenth century *haut étage* was used. Cf. *Tartuffe, Préface* : "C'est un haut étage de vertu que cette pleine insensibilité où ils veulent faire monter notre âme."

28. **claquemurer aux** should be *claquemurer dans* according to etymology; *claquer = jeter* and *mur*, "to be thrown between walls."

30. **un idole.** The gender was not yet established in Molière's time, — *un idole* or *une idole*.

34. **Songez à prendre un goût.** Now *prendre goût à*, without indefinite article.

35. **de mépris,** *avec mépris;* the use of *de* for *avec* common in the seventeenth century.

36. **toute entière.** We should now say *tout*.

40. **clartés,** for *lumières,* "enlightenment," "knowledge." Not used now in this sense.

45. **monte,** *élève, raises.* Rare as a transitive verb.

48. **ravale,** from *re* and *avaler,* in the old meaning of *descendre,* "degrades us to," *makes us again descend to the rank of beasts.*

52. **pauvretés horribles,** *horrible follies; pauvretés* for *sottises; horribles,* exaggeration of the language of the *Précieuses,* as *terrible, furieux,* etc.

60. **faible,** for *faiblesse.*

63. **génie,** in the meaning of Latin *ingenium, nature, disposition.*

67. **contraire,** *different.*

73, 74. These two verses are said to have been written by Boileau. Molière accepted them in place of his own: —

> "Quand sur une personne on prétend s'ajuster,
> C'est par les beaux côtés qu'il la faut imiter."

Boileau had written *endroits,* but Molière changed the word to *côtés.*

76. Proverbial expression in Molière's time, borrowed, says Auger, from Sorel's *Francion* (Book XI.).

79. **bien vous prend.** *Prendre* impersonal signifies, "to have good or evil consequences." *It is fortunate for you.*

81. **souffrez-moi,** *tolerate in me.*

82. **la clarté,** *life.*

83. **seconde;** freely, "*that one should imitate you.*"

88. **visée . . . mise,** *you do not at least pretend to Clitandre,* for *pris votre visée;* literally, *aim;* figuratively, *designs, intention.*

94. **hautement,** *openly.*

98. **toutes vos amours.** *Amour* feminine until the sixteenth century, when the masculine gender was also given to it. In the seventeenth century it was of both genders in singular and plural. Now *amour* is masculine in singular and feminine in plural.

100. **y,** for *à lui.*

102. **encens,** for *hommages.*

103. **un mérite,** for *un homme de mérite.*

113. **croi,** to rhyme for the eye with *foi* — poetic license, original spelling from Latin *credo.*

114. **d'une si bonne foi,** *so confident.*

In the first scene we see well marked the character of the two sisters, — Armande, pedantic, jealous, and affected; Henriette, graceful and natural, and witty in her replies. She is a little bold sometimes, but we must not be shocked at Henriette's words; they are a contrast to Armande's affected prudery, and, besides, the language of the seventeenth century was much cruder than now.

ACT I. SCENE II.

122. **expliquez,** in the sense of Latin *explicare, to unfold.*

127. **comme.** Both *comme* and *comment* were used in same sense in the seventeenth century; *comme* was the earlier form.

128. **contraignant.** Obsolete in the sense of *pénible.*

133. **où je suis arrêté,** *by which I am held.*

134. **tout,** *entirely;* not *tous.*

134. **de ce côté,** *hers* (Henriette's).

139. **flamme.** We hardly need to call attention to the use and abuse of the *précieux,* — that is to say, words of affectation, *flamme, feux, yeux,* etc., — by the best poets of the seventeenth century.

147. **pitoyable,** *of pity, merciful;* active sense.

149. **m'ont si bien su toucher.** Usual position of object pronoun in the seventeenth century.

153. **essayer à.** Both *essayer à* and *essayer de* were used in the seventeenth century; we now say *essayer de.*

155. All commentators compare Armande's reply to Arsinoé's in *le Misanthrope,* Act V., verses 1723–1726 : —

> " Hé! croyez-vous, Monsieur, qu'on ait cette pensée,
> Et que de vous avoir on soit tant empressée
> Je vous trouve un esprit bien plein de vanité,
> Si de cette créance il peut s'être flatté."

157. **plaisant.** Ironically, *You are a fine fellow to imagine it.*

162. **où la pratiquez-vous,** *wherein* (*how*) *do you practise it* (*la morale*).

163. **De répondre,** *in responding to.*

173, 174. **appuyer de,** now *appuyer sur.*

175. **Faites-vous sur mes vœux un pouvoir légitime,** *Obtain over my love a legitimate power.*

176. **me donnez,** now *donnez-moi.*

179. **faites une mine,** *you seem.*

185. **chagrin,** *displeasure,;* not "sorrow," as now.

190. **se mêle de,** *pretends to.*

198. **Des modérations.** Abstract words were often used in the plural in the seventeenth century where we now use the singular.

In Scene II. we see Clitandre's loyalty and sincerity, and we admire his straightforward replies to Armande. Henriette displays again her good sense and wit in her satirical words.

ACT I. Scene III.

202. **Sont dignes,** *deserve.*

211. **vous voir,** the "ethical dative," to see in you = *to see you have.*

213. **visions,** *extravagant ideas.*

218. **clartés.** This is the celebrated line in which Molière gives his opinion of what women should know. Cf. l. 40.

226. **Et clouer de l'esprit,** *and be witty.*

228. **chimère,** *strange ideas.*

230. **Aux encens,** *in the praises.*

231. **Son monsieur Trissotin.** Note the strength of the possessive adjective. See Trissotin in Introduction.

236. **D'officieux papiers,** *with obliging papers;* that is to say, his pen is so liberal that it furnishes the whole marketplace with papers useful to wrap up goods.

250. **avant que,** for *avant que de. Avant que* is now a conjunction used with subjunctive.

254. **Cette intrépidité de bonne opinion,** *this bold conceit.*

266. **Palais.** "*Le Palais de Justice.* It was first the dwelling of the kings of France, and was called *Palais de la Cité,* from its situation in the island of *la Cité.* It became later the seat of justice and of Parliament under Louis X. and Charles VII. *Le Palais* contains a very celebrated gallery called formerly *la Grand-Salle* and to-day *la Salle des Pas Perdus,* which was, at that time, the rendez-vous

of distinguished society, of politicians; the most famous lawyers met there around the *Gros Pilier*, celebrated in *le Lutrin* of Boileau. It was surrounded with shops, especially of booksellers, and this promenade offered the most animated and varied spectacle of Paris. Corneille has represented all the animation of *le Palais* in his comedy entitled *la Galerie du Palais* (1634)."— L'ABBÉ FIGUIÈRE.

ACT I. SCENE IV.

275. **se découvre . . . de,** for *s'expliquer, to declare*.

278. **truchements.** Same word as *drogmans* or *dragomans, interpreters ;* from Arabian *tardjemân*.

280. **outrage,** *insult*.

291. **est d'esprit,** *is witty*.

293. **les romans.** Reference is made here principally to such works as Gomberville's and La Calprenède's ridiculous novels and to Mlle. de Scudéry's *Cyrus* and *Clélie*.

305. **et, pour n'en point sortir,** *and to keep it up*.

306. **Aux choses,** for *parmi les choses*. Cf. l. 230.

313. **on est contente.** Note *on* from *homo*, used already in the seventeenth century with a feminine adjective.

323. **et sage,** etc. It is not easy to understand Clitandre's meaning here; and it is likely, as M. Mesnard says, that *sage* is used for the rime, *une cheville*.

325. **Clitandre is now alone on the stage.** In the edition of 1734, a new scene (V.) begins here; and we have a monologue, of which there are so few in Molière. M. Person calls attention to the fact that there is only one monologue in *les Femmes Savantes*, and none in *le Misanthrope* and *le Tartuffe*.

The exposition is complete in the first act, and we know the principal personages that have not yet appeared just as well as those that have appeared. Henriette has explained perfectly the character of Philaminte and of Chrysale, and Clitandre has given us an admirable portrait of Trissotin.

ACT II. SCENE I.

329. **Oui.** Ariste speaks here to Clitandre, and promises to support his suit.

ACT II. Scene II.

333. gard', for *salutation*. *Gard* or *gart* is subjunctive of *garder* in Old French. The apostrophe is used by analogy.

337. fréquente. *Fréquenter* was often neuter in the seventeenth and eighteenth centuries.

346. verts galants, *ladies' men.* Littré gives the following interesting explanation of the expression: "Les Verts-Galants étaient des bandits du quinzième siècle, ainsi nommés parce qu'ils se tenaient dans les bois, et qui n'eurent pas trop mauvaise réputation parce qu'ils s'attaquaient souvent aux seigneurs etaux riches. Fig. (en souvenir des Verts-Galants et de leurs exploits), homme alerte, empressé près des femmes."

347. Nous donnions chez, *We entered as conquerors the houses of.* Equivalent, says M. Mesnard, to *nous nous lancions chez.*

350. lieux. Bélise comes in without being heard, and listens to the conversation between Ariste and Chrysale.

ACT II. Scene III.

357. abuse, *deceives.*

363, 364. m'a fait instance de presser, *has begged me to hasten.*

366. amusement, same as *prétexte.*

368. couvrir, *to conceal.*

371. objet, *person.*

374. fai. See note, verse 113.

376. pas pour un cœur, *not only one heart.*

380. licence, *liberty.*

383. vouer, *promise by oath.*

385. céans, *here* (obsolete).

392. chimères, *idle fancies.* See note, l. 228.

ACT II. Scene IV.

398. le discours, *our conversation.*

403. l'abondance. Now *abondance*, without the article.

404. intérêt, *consideration.*

405. vertu, *merit.*

407. **voyons à,** *let us endeavor.*

414. **de ce pas,** *at this very moment.*

ACT II. Scene V.

418. **l'an.** Rustic pronunciation of *l'on.* In the sixteenth century *l'an* and *l'on* were used even at court.

420. **un héritage,** *an assured thing.* Martine, with her proverbs, reminds us of Sancho's *refranes.*

424. **Je n'entends pas cela,** *I do not allow that.*

ACT II. Scene VI.

435. **Je ne fais seulement que.** The use of *seulement* is a pleonasm.

436. **Suis-je,** *am I a woman to,* etc.

442. **prendre,** *share.*

443. **Aussi fais-je,** *Yes, I share it; aussi* not taken in meaning of *ainsi.*

448. **porcelaine.** In the seventeenth century porcelain was very rare, and considered an object of great luxury. " It was only," says M. Livet, " in 1710 that true porcelain could be made in Europe, after the discovery of kaolin in Saxony; in 1765 the discovery of kaolin, near Saint-Yrieix, gave rise to the industry of porcelain in France, where soon rose the factory of Sèvres."

455. **la belle,** *the nice creature.*

459. **nulle autre pareille.** Used for the rime; a common *cheville* at that time, with *sans seconde, à nulle autre seconde.*

461. **sauvage,** *barbarous.*

462. **Vaugelas.** Claude Favre, baron de Vaugelas, was born in 1585, at Meximieu, in Bresse, then a part of Savoie, but acquired in 1601 by Henry IV. He was a member of the French Academy, and his *Remarques sur la langue française* (1647) is the first attempt to give a rational explanation of French grammar. His authority as a grammarian was very great, and he is often quoted in the seventeenth century.

465. **régenter jusqu'aux rois.** Several commentators mention here that Vaugelas, in his *Remarques,* states that Pomponius Mar-

cellus was right to reprove Tiberius for having created a new word, telling him that he might give the right of Roman citizenship to men, but not to words, as his authority did not extend that far.

470. **Je n'ai garde,** *of course not.*

476. **le bel usage,** *polite custom.*

478. **biaux.** A patois word for *beaux.*

478. **dictons,** *words;* not *proverbs,* as now.

480. **Ne servent pas de rien!** This expression was not yet accepted by the purists.

485. **je n'avons.** This form was used at the court of Francis I., but was not tolerated in the seventeenth century. It has been kept in patois.

485. **étugué,** for *étudié.*

486. **cheux,** for *chez.*

492. Martine's reply, although very comical, was natural, as in the seventeenth century even educated people pronounced *grammaire* like *grand'mère.* Parts of this scene are doubtless borrowed from Larivey's *Fidèle* (Act II., Scene 14), adapted from Luigi Pasqualigo's *Fidele.*

495. **Chaillot** and **Auteuil** are suburbs of Paris ; **Pontoise** is near the city.

496. **villageoise,** *rustic.*

ACT II. Scene VII.

512. **sortie,** *dismissal.*

518. **oraison,** *language.*

520. **des halles.** Molière refers here, probably, to a pamphlet, *les Lois de la Galanterie,* published in 1658 for the use of the *Précieuses.*

529. **méchant,** *wrong, incorrect, misplaced.*

533. **Malherbe** (1555–1628). He was the reformer of French poetry, and contributed very much to purify the language of words borrowed injudiciously from Greek and Latin.

533. **Balzac** (1597–1654). He rendered to French prose the same service that Malherbe rendered to poetry, and wrote with elegance, although somewhat pompously.

543. This verse has become a proverb.

547. **instance,** *pressing care.*

550. **viande,** *food.*

552. **sollicitude.** Considered obsolete by the *Précieuses*, but even in the seventeenth century a current word.

553. **Il put,** from *puir (putere)* ; *puer* is a *later form.*

554. **collet monté.** A *collet monté* was a woman's stiff ruff or collar, which was held up by wire and a piece of pasteboard. In Molière's time it was antiquated, and it is this meaning that Bélise gives to the word. It also means *stilted.*

556. **décharge ma rate,** *vent my spleen.*

558. **C'est à vous que je parle, ma sœur.** Note here Chrysale's weakness ; he "vents his spleen ;" he gives his idea about the education of women, but dares not speak to his wife. He addresses his *tirade* to his sister.

562. **rabats.** A kind of collar worn by men in the seventeenth century. It was of linen, muslin, or lace, and fell down on the breast.

563. **meuble.** Used collectively, — *pieces of furniture ;* that is to say, *brimborions,* knick-knacks.

566. **Cette longue lunette.** Women in those days had a *fad* for astronomy, and Mme. de la Sablière, the protectress of La Fontaine, was proficient in that science.

580. **pourpoint . . . haut de chausse.** The *pourpoint* was a doublet used in the seventeenth century. It covered the body from the neck to the waist. The *haut de chausse* were the breeches (*culottes*), from the waist to the knees. From the knees down were the *chausses,* or *bas.*

606. **parler Vaugelas,** to speak French as Vaugelas directs.

611. **vous a tympanisées,** *has made you ridiculous. Tympanum,* drum. 614. **le timbre un peu fêlé,** *crazy.*

617. **atomes.** Molière refers here to the doctrines of Democritus and Epicure as taught by Descartes and Gassendi, who, for a time, was Molière's teacher of philosophy.

619. **Je me veux mal de mort,** *I am furious with myself.*

ACT II. Scene VIII.

630. **ouvrir,** *communicate.*

636. **l'affaire est résolue.** Philaminte has issued her ukase. It is useless for Chrysale to resist, and he is crestfallen when he meets his brother in the following scene.

639. **à faire,** *à* often used for *pour* in the seventeenth century.

ACT II. SCENE IX.

641. la femme, for *your wife;* the *la* is here somewhat ironical.

643. succès, *result.*

653. pour ne m'engager pas.   Another amusing instance of Chrysale's weakness.

666. avecque.   Archaic form of *avec,* still used in poetry.

667. elle fait grand mystère, *she attaches great importance; she makes a great fuss.*

669. le bien, *wealth.*

673. son ton, *her airs of superiority.*

676. "ma mie," from *m'amie* in Old French.

683. voyant comme on vous nomme.   Somé commentators take this for a *cheville,* while M. Mesnard believes that it may mean "seeing how you are called everywhere a weak and foolish husband."

710. à la barbe, *in spite of.*   A comic expression while referring to Philaminte.

In the second act we see Philaminte and Chrysale as they have been described by Henriette in the first act ; we admire the folly of Bélise, and we are prepared for the appearance of the famous Trissotin.

ACT III. SCENE I.

716. Ce sont repas friands qu'on donne à mon oreille.   Note the *dainty feasts given to Bélise's ear.*   This absurd way of speaking is taken nearly verbatim from one of l'abbé Cotin's works, *Festin Poëtique.*

ACT III. SCENE II.

730. mon fait, *my business ; do not concern me.*

760. Silence! ma nièce.   The verse is not completed here; and it is not necessary that it should be, as there is a pause to enable Trissotin to continue his reading.   The editor of 1734 completes the verse thus : —

> " Armande.
>
>   Ah! laissez-le donc lire."

761. Votre prudence.   The sonnet is by l'abbé Cotin; and the *princesse Uranie,* to whom it was dedicated, was the duchesse de

Nemours, daughter of the duc de Longueville. The abbé's sonnet was read at Mlle. de Montpensier's, first cousin of the king, and favorably received by the princess. Molière, therefore, as has been remarked, was singularly bold in ridiculing a poem patronized by such great ladies. The whole scene of the sonnet should be compared with the sonnet scene of Oronte in *le Misanthrope*.

771. **Prêtons l'oreille au reste.** Another incomplete verse.

772. **die.** Archaic form of *dise*, but still in common use in Molière's time.

783. **impayable,** *invaluable.* The word is no longer used in this meaning.

802. **tiercets,** now *tercets*.

808. **Sans la marchander davantage,** *Without any hesitation; without any more ado.*

822. **il ne l'est pas qui veut.** The redundant use of *il* as antecedent of *qui* was common in the seventeenth century.

824. **l'épigramme.** The epigram, like the sonnet, was taken from the works of l'abbé Cotin.

834. **L'enveloppe.** Laïs, the name of the Greek courtesan, used to conceal the real name.

860. **point,** *lace.*

860. **brocart,** *brocade.* In the seventeenth century, gold and silver stuffs.

862. **hors de page,** *to emancipate.* Borrowed from customs of chivalry.

876. **épouser,** *adopt.*

877. **péripatétisme.** Doctrine of Aristotle.

883. **Descartes.** The celebrated philosopher and author of *Discours de la Méthode.*

898. **leur sage.** The wise man of Zeno's school.

918. **la pudeur des femmes.** A hint at the exaggerated prudery of the *Précieuses.*

924. **Nul n'aura de l'esprit hors nous et nos amis.** An admirable verse in its absurdity, and which has become a proverb.

926. **que nous qui sache.** *Sachions* is the correct form; *sache,* here, agrees by ellipsis with *personne.*

ACT III. SCENE III.

936. **l'homme.** Vadius is generally considered to be Ménage. Cf. Introduction, p. xvii.

937. **produisant,** *presenting.*

939. **tenir son coin,** *hold his own.* Expression borrowed from the game of tennis (*jeu de paume*).

942. **Et sait du grec.** Ménage was an excellent Greek scholar.

947. **Excusez-moi, Monsieur, je n'entends pas le grec.** This verse is really charming, and has become a proverb.

948. **respect.** The word *respect* would not rime with *grec*, unless, says M. Mesnard, Philaminte sounded the *c.*

957. **au Cours,** *Le Cours la Reine.* The favorite walk at the time, planted in 1628 by Marie de Médicis.

957. **aux ruelles.** M. Livet gives here an interesting note: "Les femmes recevaient beaucoup dans leur chambre, tantôt couchées, tantôt assises sur leur lit élevé sur une estrade, et séparé du reste de la chambre par une balustrade fermant une alcôve. D'un côté étaient reçus les gens de service ; de l'autre les visiteurs."

960. **gueuser,** *beg.*

967. **Voici de petits vers.** After the condemnation of the authors who are so eager to read their works to all whom they meet, Vadius's offering of his verses is most comic and amusing, and is a stroke of genius.

971. **le tour libre,** *an easy style.*

972. **l'ithos et le pathos.** Greek words used in old rhetorics, and meaning now an exaggerated and bombastic style.

1015. **grimaud.** First, an ignorant student ; later, a wretched writer.

1016. **rimeur de balle,** *miserable rimester.* Referring to the poor merchandise in a peddler's pack.

1017. **fripier d'écrits,** *literary hack.*

1018. **cuistre.** Original meaning, "*valet de collège; serviteur qui cuit pour les écoliers,* from *coquere.*"

1026. **l'auteur des Satires.** Boileau-Despréaux.

1044. **Barbin.** A well-known bookseller of the *Palais.* Boileau refers to his shop in the fifth canto of *le Lutrin.*

ACT III. SCENE IV.

1061. **j'y suis blessée**, *I am vexed at that.* *Y* for *en.*

1065. **la simple épiderme.** The word is now masculine. Littré says : "Le genre de ce mot a été incertain."

1067. **un biais**, *a way.*

1073. **je vous détermine**, *I order you.*

ACT III. SCENE VI.

1109. **péronnelle**, *foolish prattler.* *Péronnelle* was at first a proper name.

1110. **tout le soûl.** Often written *saoul*, *to your heart's content.*

ACT IV. SCENE I.

1124. **la loi**, *the permission ; the order.*

1131. **On vous en devait bien au moins un compliment**, *They should, at least, through politeness, have asked your consent.*

1138. **il ne m'a prié.** We would now write *priée.* In Molière's time the rules of agreement of the past participle were not yet definitely settled.

ACT IV. SCENE II.

1148. **vous pousser à bout**, *to irritate you.*

1151. **discourant entre nous**, for *quand nous discourions entre nous.*

1157. **nous en étions aux prises**, *we quarrelled about it.*

1163. **me détruire**, *to ruin my credit ; to undo me.*

1173. **vœux**, *love.* Verses 1171 to 1174 have often been compared with four verses nearly similar of *Don Garcie de Navarre* (Act III., Scene II.).

1176. **la fierté**, *the rigor ; the cruelty.*

1187. **change**, for *changement.*

1197. **amour grossière.** For gender of *amour*, cf. note to line 98.

1205. **laisse là**, *disdains.*

1213. **par un malheur**, usually, *par malheur.*

1232. **Pour avoir désiré**, *That I should have desired.*

1244. **fiertés**, *disdains.*

1251. **ne me rangez pas**, *do not reduce me.*

ACT IV. SCENE III.

1266. **échappé belle.** A gallicism. *Belle* refers either to *aventure* or to *occasion* understood. *A narrow escape.*

1268. **chu,** from *choir*, which is the only form generally used now.

1282. **soit pour gâter,** *être pour* for *être capable de ; être de nature à, is liable to ; can.*

1283. **en propos,** *in words.*

1296. **Qu'un sot savant est sot plus qu'un sot ignorant.** A verse which has become a proverb.

1304. **fat.** Synonymous here to *sot.*

1317. **second.** In a duel, the *second* was a friend who accompanied the principal, and fought with the friend of the adversary.

1327. **enfoncé,** for *plongé profondément, wrapped up in.*

1327. **c'est tout dit.** The usual expression is, *c'est tout dire.*

1341. **Qu'à le bien prendre,** *All things considered.*

1344. **bon goût.** The good taste of Louis XIV. in literary matters exerted a great influence on his court.

1350. **Rasius et Baldus.** Imaginary names of pedantic *savants.*

1355. **dans le propos,** *not to include you in the list.*

1363. **gredins,** *wretched fellows.* Not taken in the present meaning of rascals. *Gredin* had formerly the same meaning as *mendiant.*

1375. **barbouiller,** *to cram ;* literally, *to besmear.*

ACT IV. SCENE IV.

1392. **aux gens,** *the servants.*

1394. **mon livre.** Even Julien, the pedant's valet, writes a book.

1403. **état,** *importance.*

1409. **envoyer au notaire,** *send for the notary.* The expression is no longer used while speaking of a notary ; but, says M. Mesnard, "*envoyer au médecin* is still used."

1421. **issue,** *result.*

ACT IV. SCENE V.

1429. **prévenu,** *prejudiced.*

1451. **vous assurer de lui,** *rely upon it.*

1457. **retraite,** for *couvent.*

In Acts III. and IV. the plot is well developed, and we understand the character of each personage. We are anxious to read Act V., to see whether Henriette will be saved from Trissotin's clutches; and we now take a real interest, not only in the study of character, but also in the plot itself.

ACT V. SCENE I.

1465. **vœux,** *affection, plighted faith.*

1468. **indignes appas,** *charms unworthy of a philosopher*

1484. **méchants yeux,** *bad eyes* (blind).

1507. **honnête homme,** *a man of honor, a gentleman.*

1514, **cher,** *precious.*

1518. **A moins que vous cessiez.** *A moins que* with or without *ne* in the seventeenth century.

1528. **prête à,** *on the point of.* No difference was made in the seventeenth century between *prêt à* and *près de.*

1539. **Qu'il ne fait pas bien sûr,** *That it is not prudent.* *Faire* was used impersonally in the seventeenth century with more expressions than now.

1540. **en dépit qu'elle en ait,** for *en dépit d'elle, in spite of herself.*

1543. **altéré,** *troubled, affected.*

1547. **ennui,** *grief.*

1552. **porter,** for *supporter.*

1552. **constamment,** *with courage; with resignation,* for *avec courage.* 1553. **si singulière,** *so peculiar.*

1554. **matière,** *opportunity.* 1560. **bien,** *happiness.*

ACT V. SCENE II.

1565. **vœux,** here *wishes.*

1567. **malgré ses dents,** *in spite of her.*

1570. **ne vous change.** " *Ne change* (en) *vous.*" — MESNARD.

1572. **séduire à vos bontés,** *led astray by your kindness. A* for *par* frequent in the seventeenth century, see 1582 : *par le nez à ma femme.*

1599. **Secondez-moi bien tous.** This appeal for help as soon as Chrysale sees his wife coming is very comic, after his tone of authority while speaking to Henriette.

1600. **de besoin.** *De* was archaic even in Molière's time.

ACT V. SCENE III.

1608. **mines et talents.** "La *mine*, chez les Grecs, valait 100 drachmes ; 1 *talent* valait 60 mines ou 6000 drachmes. Le poids d'une mine était de 435 grammes ; comme monnaie, elle équivalait à 69 francs. — CH. L. LIVET.

1643. **hoc**, *assured, certain.*

1644. **La poule ne doit point chanter devant le coq.** Cf. Jean de Meung (*Roman de la Rose*) :

> C'est chose qui moult me deplaist
> Quand poule parle et coq se taist.

1649. **jocrisse**, *foolish, henpecked.*

1657. **bailler**, *give.*

1657. **épilogue**, *cavils at ; criticises.*

1659. **le grais.** Archaic pronunciation of *grec*, as now *échecs*, *legs.*

1662. **chaise**, for *chaire*, *pulpit.* "Chaise est une prononciation vicieuse du mot *chaire.* Aux seizième et dix-septième siècles, le peuple de Paris, en beaucoup de mots, remplaçait le son de l'*r* par celui du *z*, et cette faute a abouti à faire deux mots, chaire et chaise, avec acceptions différentes." — ÉMILE PERSON.

In the seventeenth century one said "une *chaise* de droit, une *chaise* de théologie, for une *chaire.*"

1669. **A ne B.** *Ne* for *ni* is archaic.

1671. **sans trouble**, *without impatience, without having interrupted all that prattle.*

1675. **de ce pas**, *immediately.* See line 415.

1679. **un accommodement.** Chrysale's weakness is again most amusing. Let Armande marry Clitandre, and Henriette marry Trissotin, and this will settle the difficulty.

1686. **la substance étendue.** From Descartes. "*La substance qui pense*, c'est l'esprit ; *la substance étendue*, la matière." — ÉMILE PERSON.

ACT V. SCENE IV.

1687. **mystère**, *ceremony.*

1691. **pour vous.** Philaminte.

1692. **pour vous.** Chrysale.

1698. **A braver,** for *en bravant;* often used in the seventeenth century.

1706. **transport,** *outburst.*

1710. **Son bien.** Trissotin's wealth.

1715. **disgrâce,** *misfortune.*

1726. **je baise les mains,** *I am the humble servant.*

1750. **retours,** *regrets.*

1764. **à l'essai,** for *à l'épreuve.*

1778. **ainsi que je l'ai dit.** Chrysale is victorious ; he *knew* that Henriette would marry Clitandre. Is he not master in his own house ? Can Philaminte oppose his wishes ?

The conclusion of the play, unlike that of most of Molière's comedies, is admirable and natural. Each personage, to the very end, is true to his character, as developed in the play.